文春文庫

鬼平犯科帳

(二十)

池波正太郎

文藝春秋

文春文庫

鬼平犯科帳

（二十）

池波正太郎

文藝春秋

本書は平成三年に刊行された文庫の新装版です。

目次

鬼平犯科帳（二十）

おしま金三郎《きんざぶろう》

「……そりゃあ、私も、二度と旦那の顔を見るつもりはなかったのだけれど、おもいきって、此処《ここ》へやって来たのは、それだけのわけがあるんですよ」

「聞きたくねえ。何もいうな」

「でも、あの……」

「帰れ」

低いが、断固《だんこ》とした口調で、男が女にいった。

男は三十をこえていよう。小柄な細身の躰《からだ》に盲縞《めくらじま》の筒袖《つつそで》をきっぱりと着て、せまい板場の中で酒の燗《かん》をしながら、女には見向きもせぬ。

色白の、双眸《りょうめ》が黒々としてい、鼻すじの通った男前がこんなところの居酒屋の亭主ともおもえぬ。

ここは、麻布の田島町（現・東京都港区白金の内）の鷺森神明宮傍《さぎのもりしんめいぐうわき》にある藁《わら》屋根の小さな居酒屋で、小さいといえば鷺森神明の堂宇《どうう》も藁屋根の小さなものだ。三鈷坂《さんこざか》へ向う道に面して白木の鳥居があり、木立に囲まれた参道の右手へ切れ込むと、この居酒屋の前へ出る。

当時の、このあたりは江戸の外《はず》れで、寺社のほかには百姓地や大名の下屋敷、小旗本の屋敷が多く、夜が更《ふ》けると、こうした屋敷にいる足軽や渡り中間《ちゅうげん》などが酒をのみに来るのである。

この居酒屋には店の名もついていないが、客は、

「豆腐酒屋」

などと、いっているようだ。

それというのも、肴《さかな》は豆腐一品のみだからである。

亭主につきそっている六十がらみの老爺《おやじ》が豆腐を煎《い》ったり餡《あん》かけにしたり、夏は井戸水に冷やして擂《す》り生姜《しょうが》をのせて出したりする。

板場の向うに七坪ほどの入れ込みがあり、板敷きに薄縁《うすべり》を敷いてあるだけの、まことに、

「味も素気《そっけ》もない……」

店なのだが、どこから仕入れてくるのか酒がうまく、また安い。

それだけで、客がついているらしい。

いまは、まだ灯《あか》りが入ったばかりの時刻だし、入れ込みの片隅に近くの百姓が三人ほど、酒をのんでいるだけだ。

「帰れ」

恨めしげに、こちらを見つめている女へ、男がもう一度いった。

「帰ってもいいのかえ」

女が、挑《いど》みかかるように、いい返した。

「何だと……」

「帰ってもいいのかと、いっているんですよ」

男は、黙った。

そして振り向き、女の眼の色を探ろうとした。

女は二十七、八であろうか。

身なりも小ざっぱりとしているし、髪のかたちを見ても、どこかの町女房としかおもえない。

色の浅ぐろい、下ぶくれの顔だちだが、躰つきはすっきりとしていて、左の顎《あご》のあたりに小豆粒《あずきつぶ》ほどの黒子《ほくろ》がある。

入れ込みにいた老爺が、板場へ入って来て、燗のついた酒を盆に乗せ、また出て行っ

た。

「おしま。お前、何をいいたいのだ？」

「別に、いいたかありませんよ」

「何……」

「旦那が、さぞや聞きたかろうとおもえばこそ、わざわざ遠いところをやって来たのだ。冷酒《ひや》の一杯も出してもらいたいところさ」

「ふざけるな」

「ちっとも、ふざけてなんかいませんよ」

「いま、どこへ引き込みに入っているのだ？」

「そんなことを、旦那にいう筋はありませんねえ」

「こいつ……」

「ああ……」

女……おしまは、ためいきを吐《つ》き、

「これが以前は、たがいに汗をまじえて抱き合った、男と女なのかねえ」

「だまれ」

「ふん……」

裏口から板場へ入って来たおしまは、板場の横手の小部屋の框《かまち》に腰をかけていたのだが、このとき、すっと立ち、

「それじゃあ、帰りますよ」

「……」

「何を、睨《にら》んでいなさるのさ。帰りますよ、帰るよ。いいのかえ？」

「くどくどと念を押すにはおよばねえ」

おしまは裏の戸を引き開け、生あたたかい夜の闇《やみ》の中へ出て行きながら、

「小柳安五郎《こやなぎやすごろう》が殺されても、いいのかえ？」

と、いい、戸を閉めた。

居酒屋の亭主が、愕然《がくぜん》となり、おもわず腰を浮かした。

女の足音が、ゆっくりと遠去かって行く。

ついに、たまりかねた亭主が外へ飛び出し、

「おしま、待て」

呼びかけ、女を追って行った。

亭主は、以前、火付盗賊改方《ひつけとうぞくあらためかた》の同心をつとめていた松波金三郎《まつなみきんざぶろう》であった。

してみると……。

おしまがいった小柳安五郎とは、いまも盗賊改方ではたらいている小柳同心のことではないのか……。

一

同心《どうしん》・小柳安五郎は、まだ、再婚をしていない。

与力筆頭《よりきひっとう》の佐嶋忠介《さじまちゅうすけ》が、

「小柳。むかしのことに、あまり、こだわるな。そろそろ後妻《のちぞい》をもらってはどうか？」

しきりにすすめもし、良い縁談をもってくるのだが、

「それだけは、ごかんべん下さい」

小柳は、膠《にべ》もなかった。

数年前の冬の或日《あるひ》。

小柳安五郎は、たった一日のうちに妻と子を失ってしまった。

折しも、盗賊改方は、兇盗《きょうとう》・日影《ひかげ》の長右衛門《ちょうえもん》一味を捕えるために、当番も非番もなく活動をつづけており、ことに小柳同心は同僚の松波金三郎に協力して、探索の手がかりを最初につかんでいたこともあり、長い間、四谷の組屋敷内の長屋へも帰らず、尾行に探索に、昼夜兼行ではたらいていた。

その最中《さなか》に、小柳の妻みつが初産《ういざん》の男の子を産《う》んだ。

しかし、非常な難産で、産み落すと共にみつは息が絶え、生まれた子も、その日のうちに亡くなってしまったのである。

小柳安五郎の悲嘆《ひたん》は、いうまでもなかったが、それにも増して小柳を悲しませたのは、

妻の死を看《み》とってやれなかったことで、

（このお役目に在《あ》るかぎり、おれは二度と、この苦しみを味わいたくない）

と、小柳は、かたく自分に誓いをたてた。

そして、妻と暮した組屋敷の長屋を出た小柳は、いま、清水門外の役宅内の長屋へ移り、下女のお杉と二人きりで暮している。

いまも小柳は、非番になると、浅草の阿部川町にある菩提所《ぼだいしょ》の竜源寺へおもむき、父母や妻子がねむる墓へ詣《もう》でるのを常としていた。

日影の長右衛門一味が捕えられた後に、長官の長谷川平蔵《はせがわへいぞう》は小柳と共に竜源寺の墓へ詣でてくれ、沈痛に、

「小柳。ゆるせよ」

と、いってくれた。

その一言だけで、小柳は満足したけれども、あまりにも果敢《はか》なく、さびしく、悲しかった。

以来、小柳安五郎は変貌《へんぼう》した。

妻子を亡くす前の小柳同心については、木村忠吾《きむらちゅうご》が例の軽口で、

「小柳さんという人はだな。たとえば、雪の夜にぬるま湯からあがって文句もいわずに、燗冷《かんざ》ましの酒をよろこんでのむような人だね」

と、評したことがある。

これを耳にはさんだ長谷川平蔵が、

「忠吾め。ひどいことをいう。なれど、うまい」

苦笑と共に洩《も》らしたそうな。

このように、以前の小柳は無口で温順で、しかも武芸が得意なわけではないから荒々しい手柄もなく、色白の細っそりとした優男であった。

それが、いまはどうだ。

躰にも、みっしりと肉がつき、市中見廻りで日に灼《や》けつくした顔貌が精悍《せいかん》そのものだ。

そして、いかな危険をもかえりみず、悪党どもと闘う。それでいて思慮が深くなり、

「小柳安五郎ならば、先ず安心……」

と、何事につけ、長官や佐嶋与力の信頼が厚い。

それだけに佐嶋忠介も、いつまでも小柳が再婚せぬことを気にかけているのであろう。

「だが、小柳さんも男であるからには、どこかでその、何かをしているにちがいない。相手は岡場所の女かな。それとも、どこかの後家なぞといい仲になっているのかも知れないな」

などと、しきりに木村忠吾あたりが推量をめぐらしているらしく、事実、忠吾は、小柳と非番が同じだった日に、外出《そとで》の小柳を尾行したことがあるらしい。

結果は、

「やはり、墓詣りだったよ。その帰りに、上野山下で蕎麦《そば》を手繰《たぐ》っただけさ」

とのことだ。

または、非番の日の早朝に、小柳は市ヶ谷左内坂の坪井主水《つぼいもんど》の道場へ行き、剣術の稽古《けいこ》にはげんだのち、竜源寺へ向う。

坪井道場には長官の息・長谷川辰蔵《たつぞう》が入門しており、つい先ごろも辰蔵が役宅へあらわれ、父の平蔵に、

「ちかごろの小柳さんにはおどろきます。私も三本に一本はとられます」

と、いった。

「三本に二本の間ちがいではないのか」

「御冗談《ごじようだん》を……こう見えましても辰蔵、まだまだ小柳さんごときには」

「莫迦《ばか》もの。その言い種《ぐさ》は何だ。三本に二本か、三本とも小柳にとられていることが、おのれのいまの言い種でもわかるわ」

ぴしりと父にきめつけられ、辰蔵が閉口したものである。

さて……。

その日の昼すぎに、非番の小柳安五郎は例によって左内坂の坪井道場で稽古をすませてから役宅へ帰り、着替えをして浅草の竜源寺へ向った。

墓詣でをすませた小柳が、竜源寺を出たのは八ツ（午後二時）ごろであったろう。

寺の門を出た小柳が、

「あ……」

おもわず、瞠目《どうもく》した。

「久しいな、小柳」

門の外で、小柳があらわれるのを待っていた男は、あの〔豆腐酒屋〕の亭主である。

いや、以前は小柳の同僚だった松波金三郎である。

「松波か……」

「先刻、御役宅で尋《き》いたら、ここだというので、な……」

「行ったのか、御役宅へ?」

「まさか。他人《ひと》にたのんだのさ」

「そうか……」

「このおれが、どの面《つら》さげて御役宅へ行けるものか」

「む……」

「変ったなあ、見ちがえたよ」

「そうかな。松波は少しも変らないな」

はじめて、小柳安五郎が微笑《ほほえ》んだ。

松波金三郎は、ありふれた町人姿だが、小柳と肩をならべて歩み出したとき、手にした菅笠《すげがさ》をかぶったものだから、小柳が、

「どうした?」

「うむ……」

「顔を隠すことはあるまい。おぬしの始末はついているのだ」

「そのことじゃあない」

「え……？」

「お前さんのことだよ」

「何……？」

「おれが、お前さんと一緒にいるところを、もしも見られたらまずいことになる」

「かまわぬ。おぬしの始末はついて……」

「いや、そうじゃない。そのことじゃあない」

「いったい、何のはなしだ？」

「牛尾《うしお》の又平《またへい》に、実の弟がいたのだ」

「牛尾……ずいぶん、古いはなしではないか」

「古いはなしさ。古くても忘れられねえはなしさ」

「む……」

うなずいた小柳が、

「そのとおりだな……」

「牛尾一味を召し捕ったのは、お前さんとおれの手柄だが、そのかわりにおれは御役御免となってしまった……」

「……」

「ま、そんなことはどうでもいいが、あのとき、牛尾一味のうちの二人を取り逃がしていた。おぼえているかえ？」

「おぼえている」

このあたりは寺院が密集している。

その寺々の土塀の内の木立の若葉のにおいが道にただよい、晴れわたった午後の日の輝きは、早くも夏をおもわせるほどであった。

小柳と松波は低い声でささやきかわしつつ、ゆっくりと歩《ほ》を運んだ。

「逃がした一人は、牛尾の又平の右腕といわれた高山《たかやま》の治兵衛《じへえ》。もう一人は、女賊《おんなぞく》のおしま……」

呻《うめ》くように、そういった松波金三郎へ小柳が、

「いうな。もう、すんだことだ」

「いや、そのおしまが、おれに知らせに来たのだ」

「何を？」

「牛尾の又平の弟で、上方から中国筋で盗みばたらきをしている瀬田《せた》の虎蔵《とらぞう》というのが、いよいよ江戸へ出て来て、打ち首になった兄の敵《かたき》を討とうという……」

「その敵が、おれだというのか？」

「そうなのだ、小柳」

「なるほど」

小柳安五郎は、いささかも動じなかった。

「だが、小柳。こいつ、容易ならぬ手配《てくば》りをしているらしい。こうして歩いている間にも、後をつけられているやも……」

いいさして松波金三郎が、笠の内からあたりを見まわすのへ、

「それで、わざわざ知らせてくれたのか。ありがとうよ、松波」

そういった小柳の声には、あきらかに誠実がこもっている。

上野山下へ出た二人は、小柳が行きつけの蕎麦屋・山城屋の二階座敷へあがって行った。

その後から山城屋へ入って来て、階下の入れ込みの片隅へあがりこみ、酒を注文した客があった。

五十がらみの小肥《こぶと》りの躰を地味な着物に包み、きちんと坐ったまま、ゆっくりと盃《さかずき》を口へ運び、店の小女へもおだやかな口のききようをする。羽織もつけているし、どこその小さな商家のあるじのようにも見える。

両眼は眸《ひとみ》が見えぬほどに細く、それがいかにもやさしげな印象をあたえた。

この男が、かつて、牛尾の又平の右腕といわれた高山の治兵衛であった。

二

数年前の、牛尾の又平逮捕のきっかけは、向うから転げ込んで来たといってよい。

当時、盗賊改方の同心だった松波金三郎は、与吉《よきち》という密偵と組んでいた。

松波のやり方は、

「この御役目は、きれいごとではつとまらぬ」

というわけで、ほとんど大小の刀を腰にしたこともなく、月代《さかやき》などもあまり剃《そ》ったりせず、どちらかといえば、

「ろくなことをしてはいない奴……」

の風体《ふうてい》で、我から江戸の悪の世界へ飛び込んで行ったものだ。

小の悪は見逃しても、そのかわりに大の悪を叩《たた》き潰《つぶ》したほうがよいというのが松波の考え方で、これには、盗賊改方の与力・同心たちからも大分に非難の声もあった。けれども松波の活躍は抜群のものがあったし、長谷川平蔵も黙認していたようである。

そうした松波金三郎なればこそ、密偵の与吉もこころをゆるし、女賊のおしまを松波へ引き合わせたのであろう。

おしまは、牛尾一味の女賊だったが、牛尾の又平の盗みが、危険を無視しての急ぎばたらきに変ってきて、必然、残酷な殺人がおこなわれることが多くなったものだから、

（これでは、とても、私にはつとまらない）

と、おもいきわめた。

おしまの両親は「老盗の夢」の一篇に書きのべておいた本格派の大盗・簑火《みのひ》の喜之助《きのすけ》の許《もと》で長くはたらいていただけに、おしまが牛尾の又平に愛想《あいそ》をつかしたのも当然とい

えよう。

（ちかごろのお頭《かしら》は、盗人の風上にもおけない。だまっていたら、罪もない人たちの血が、これからもどれだけ流れるか知れたものじゃあない）

一日も早く一味と手を切りたがったのだが、又平は、それをゆるさぬ。

別に裏切るわけでもなく、手を切りたいという配下の者は、たちどころに殺害してしまう。前例はいくらもあった。だが、配下たちへの分前については、

「まったく、気前がいい……」

ものだから、流血に慣れきった非情の盗賊のみがあつまることになるのだ。

おしまは苦しみ悩んだ。

そのときに、旧知の与吉と芝の増上寺の境内で出会ったのである。

与吉は、おしまの亡き両親とも親しかったし、むかし、簑火の喜之助の許ではたらいていたこともあるだけに、おしまも気をゆるして自分の苦悩をうちあけた。むろん、そのときは、与吉が盗賊改方の密偵になっていようとは知るよしもない。

与吉も知らぬ顔をして、いったんはおしまと別れ、三日ほど熟考した後に、おもいきって、おしまのことを松波金三郎へ打ちあけたのだ。

「よくいってくれた。悪いようにはせぬ」

と、松波は受け合った。

その言葉に嘘《うそ》がないことは、これまでの前例によって、与吉もわきまえている。

「牛尾一味を一網打尽《いちもうだじん》にするかわりに、その、おしまを見逃してやればよい。そのほうが、おしまも安心だろう」

「旦那。そのとおりなんで……」

「よし。ではな、与吉。あまり、こしらえごとをせず、いま、おれがいったことをすっぱりと、おしまへつたえろ」

「すると、やっぱり、私が盗賊改メの狗《いぬ》になっていることも……？」

「当り前だ。そこまで肚《はら》を打ち割らなくては、ものにならねえよ」

「へ……ようがす。わかりました」

その結果は、成功した。

おしまもびっくりしたろうが、同時に、こちらの誠意も通じ、ついに、

「それじゃあ、まかせましょうよ」

おしまは決意をしたが、一つだけ条件を出した。

つまり、松波金三郎に、

「抱いてもらいたい」

と、いうのである。

盗賊改方の同心が、女賊と肌身をゆるし合ったとなれば、おしまの方でも松波の弱味をつかんだことになるからだろう。

「よかろう」

松波は承知をし、不忍池のほとりの出合茶屋で、はじめて、おしまと会った。

こうして、おしまは、牛尾の又平を裏切り、一カ月後に大伝馬町《おおでんまちよう》の提灯《ちようちん》問屋・河内屋《かわちや》六兵衛方への押し込みをひかえた牛尾一味の盗人宿を二カ所、松波へ告げた。

その押し込みの当夜に、河内屋の周辺をかためた盗賊改方によって、牛尾一味の十八名が捕えられた。

おしまは深川の盗人宿にいて、これは約束どおり、与吉が手引きをし、うまく逃がしたのだ。

ところが……。

後になって、松波金三郎は長谷川平蔵によびつけられ、

「そのほう、牛尾一味の女賊と情を通じたな」

ずばりといわれたときには、

「いや、もう、どうにもならなかった。おれも随分、図太い奴だとおもっていたが、長官《おかしら》の一睨みですくみあがってしまったよ」

と、松波が後に小柳へ語っている。

松波は、役目も身分も失い、放逐《ほうちく》されることになった。

小柳安五郎が、平蔵に、

「松波のような男がいてもよいと存じます。何とぞ、こたびだけはおゆるしを願わしゅう存じます」

単身で嘆願をしたのも、このときであった。

平蔵は、ゆるさなかった。

何故なら、松波とおしまのことが、役宅に知れわたっていたからだ。

松波は、このときの小柳の、おもいがけない友情の表現を、

「どれほど、うれしかったか知れない」

と、述懐《じゅっかい》している。

それにしても、どうして、

（おしまと、おれのことがわかったのか？）

このことである。

だれかが密告したのか。それとも捕えられた牛尾一味の口から洩れたのか……。

「とんでもねえ。そんなことを一味の者が知っていたら、こっちの罠《わな》へ引っかかるはずがありませんや」

と、密偵の与吉がいった。なるほど、そのとおりだ。

おしまのほかに逃げた高山の治兵衛だとて、事前には知らなかったといってよい。

密偵の与吉は、それから一年後に病死している。

小柳安五郎が、おしまのことを松波金三郎から告白されたのは、与吉が死んだ後で、松波から偽名の手紙をもらい、飯田町《いいだまち》の美濃屋という小体《こてい》な料理屋で密《ひそ》かに会ったときである。

それから今日まで、二人は会っていなかったのだ。

山城屋の二階で、二人は一刻（二時間）ほど、酒をのんだ。

三

小柳と松波が二階から下りて来たとき、階下の入れ込みに高山の治兵衛の姿はなかった。

そして二人は、山城屋の門口《かどぐち》で右と左に別れた。

小柳安五郎が清水門外の役宅へもどって来たのは、夜に入ってからである。

自分の長屋へ入った小柳は、下女のお杉へ、

「ほれ、みやげだ」

と、本郷一丁目の菓子舗・丸屋の八千代《やちよ》饅頭《まんじゆう》をわたし、

「あれまあ、こんな上等なものを……もったいないことでございますよ」

お杉が恐縮するのへ、

「先に寝ていなさい」

こういってから、長屋を出て、与力《よりき》の溜部屋《たまりべや》へおもむいた。

佐嶋忠介が、今夜の当直であることは、小柳もわきまえている。

佐嶋与力が、長谷川平蔵の居間へ来て、

「ただいま、小柳安五郎がまいりまして、ぜひとも、お目通りをと願いおりますが……」

「小柳は今日、非番であったはず」

「はい」

「では今日も、竜源寺へ墓参にまいったのであろうな」

「は……その折、めずらしき男に出会うたそうにございます」

「ほう……」

「松波金三郎に……」

「出会うたのか？」

「松波が、小柳を竜源寺門前にて待ち受けておりましたとか」

「ふうむ……よし、小柳をこれへ」

「はっ」

平蔵は書見台を傍《わき》へ片寄せ、小柳が入って来るのを待った。

小柳安五郎は、ひとりで居間へあらわれた。

「夜分、突然に願い出まして、申しわけもございませぬ」

「ま、もっと寄れ。遠慮をするな」

「は……」

「松波金三郎に会うたそうな」

「はい」

「それで？」

「これは私一人《いちにん》の事ゆえ、申しあぐるまでもなきことと、はじめはおもいましたなれど、相手が相手ゆえ、やはり、お耳へ達しなくてはならぬと存じました」

と、小柳は語りはじめた。

自分一人を、

「兄の敵……」

として、討ち果すため、わざわざ江戸まで出張《でば》って来たという牛尾の又平の弟・瀬田の虎蔵は、兄同様の兇盗なのだ。

まだ一度も、江戸で盗みをはたらいたことがない虎蔵だが、その悪名《あくみよう》は盗賊改方へもきこえている。

ゆえに小柳は、

(これは、やはり、御頭へ申しあげておかねばならぬ)

と、おもったのだ。

小柳が語り終えるや、

「おしまは、そのことを、どうして知ったのじゃ？」

「松波も、そこを何度も尋ねたそうでございますが……」

だが、おしまは、松波に、

「これは、私にとって義理のある筋から聞き込んだのだから、たとえ、お前さんでも、打ちあけるわけにはいかない」

そういったという。

「で、おしまは、いま、何処《どこ》にいて何をしているのじゃ？」

「それも、松波に打ちあけなかったそうでございます」

「さようか」

長谷川平蔵は、亡父遺愛の銀煙管《ぎんぎせる》で煙草を吸いながら、かなり長い時間を沈思していたが、しばらくして、

「佐嶋を、これへ」

「はい」

佐嶋忠介が小柳と共に居間へあらわれると、平蔵は、もう一度、同じことを小柳から佐嶋へ語らせた。そして、凝《じっ》と耳をかたむけたのである。

「どうじゃ。佐嶋。いささか、妙なはなしのようにもおもえるが……」

「さようでございますな」

「小柳は何とおもう？」

「私も、吹っ切れぬおもいがいたします。私を兄の敵とねらうのなら、何故いまさらに……」

「そのことよ。牛尾一味を捕えてから、もはや、四、五年になろう」

「なれど松波は、私に嘘いつわりを申すような男ではありませぬ」

「瀬田の虎蔵が、小柳を討つためにのみ、江戸へやって来る……盗みばたらきをするわ

けでもないのじゃな？」

「そのことは松波も、おしまへ念を押したそうにございます。おしまは盗みばたらきはせぬと申したそうで」

「松波は放逐されてより、おしまと暮していたのではなかったのか……」

「そうではなかったようでございます」

「なれど、打ち捨てておくわけにもまいるまい」

平蔵は夜が更《ふ》けるまで、佐嶋・小柳と共に、打ち合わせをおこなったようだ。

翌日。

小柳安五郎は終日、役宅から外へ出なかった。

午後になると、平蔵の使いを受けた剣客浪人・高橋勇次郎《たかはしゆうじろう》と大滝《おおたき》の五郎蔵《ごろぞう》が役宅へあらわれた。

あの〔鬼火〕事件以来、高橋は役宅へ出入りするようになり、いまも下谷《したや》茅町《かやちょう》二丁目の飯屋・三州屋の二階に寄宿をしている。

この夜。五郎蔵は帰って行ったが、高橋は役宅へ泊った。

翌朝になって……。

同心・小柳安五郎の市中見廻りがはじまった。

袴《はかま》をつけてはいるが浪人の風体《ふうてい》で、編笠《あみがさ》をかぶった小柳安五郎は、担当の上野山下から、谷中・本郷へかけての見廻りに出た。

その後を、同じような姿《いでたち》の高橋勇次郎が尾《つ》けて行く。

小柳の見廻りの順路は、打ち合わせた道筋から外《はず》れることがない。

そして道筋には、大滝《おおたき》の五郎蔵《ごろぞう》・おまさの夫婦や相模《さがみ》の彦十《ひこじゅう》、その他の密偵たちが待機しており、小柳を尾行する者があれば、たちどころに発見できるようになっていた。

高橋浪人の役目は、小柳の護衛《ごえい》といってよいだろう。

同じ日の午後も遅くなってから、長谷川平蔵は単身、例の着ながしの浪人姿で役宅を出て行った。

四

その日の夕暮れどきに、麻布・田島町の〔豆腐酒屋〕へ、中年の物堅そうな町人がやって来て、亭主の松波金三郎に、

「おしまさんが、ぜひとも旦那に、お目にかかりたいのだそうで。ちょいと、お運びを願えませんでしょうか」

と、いう。

「おしまが此処へ来られないのか？」

「旦那に来ていただいて、お見せしなくてはならぬものがあるそうなのでございます」

「それは何だね？」

「よくは存じません。私は、おしまさんにたのまれただけなので」

「お前さんは、どなただ？」

「それも、ごかんべん願います。私も、その、危い綱を渡っているのでございますから」

「ふうむ……」

「先夜、旦那に言い残したことがあると申しております」

「おしまが、そういったのかね？」

「はい。何でも小柳安五郎とかいうお人のことだと、旦那につたえてくれればわかる。そう申しました」

「小柳の……」

「はい」

ここに至って松波は、こころを決めた。

先夜、おしまがあらわれて告げたことを疑っているわけではないが、それにしても、

（腑《ふ》に落ちぬ……）

このことであった。

牛尾の又平一味を捕えたのは、たしかに松波と小柳の手柄であった。

だが、その探索のために、松波は女賊おしまの肌身を抱き、ついに放逐の憂目《うきめ》を見てしまった。

そして、捕物の当夜。

身の軽い牛尾の又平は、盗賊改方に包囲されるや、すぐさま提灯問屋・河内屋の屋根へ飛びあがり、これを見ていた長谷川平蔵ですら、

(しまった。逃げられる……)

と、感じたほどであった。

小柳安五郎が路上から、牛尾の又平へ突棒《つくぼう》を投げつけたのは、この瞬間である。

この突棒が、見事に又平の足へ搦《から》んだ。

「あっ……」

屋根へ躍りあがって走りかけていただけに、牛尾の又平は立ち直ることができず、足をすべらせて路上へ落ち、すかさず走り寄った小柳の十手に頸《くび》すじを打ち据えられ、昏《こん》倒《とう》し、小柳の捕縄にかかったのであった。

その光景を見ていた牛尾一味の盗賊たちは、いずれも処刑されてしまっているが、ただ一人、高山の治兵衛のみは捕物陣を切り破って逃亡した。

では、治兵衛が、このことを牛尾の又平の弟・瀬田の虎蔵へ告げたのであろうか……。

そうした肝心《かんじん》のことを、どうしても、おしまは松波へ語らぬ。

「これだけのことでも、こうしてわざわざ告げに来たのは、以前の誼《よし》みがあるからだ。ありがたいとおもっておくんなさいよ」

いい捨てて、おしまは消え去ってしまったのである。

「よし、行こう」

松波は、同心のころからの自分に仕えていてくれる老爺の太助へ、

「後をたのむ」

いい置いて、案内の町人と共に外へ出た。

三鈷坂を南へのぼったところを右に切れ、しばらく行くと一面の田地と木立がひろがっている。

「何処まで行くのだ？」

「向うに稲荷《いなり》の祠《ほこら》がございます。そのうしろの百姓家で、おしまさんが待っていなさいますよ」

夕闇は、かなり濃くなっている。

案内の男について、松波金三郎は木立の中の百姓家へ入った。

空家《あきや》である。

中には、だれもいない。

「おい。おしまは？」

振り向いた松波が、はっとなった。

案内の男が消えてしまっている。

（おれとしたことが、騙《だま》された……）

ふところに短刀一つを隠している松波だが、同心のころから、探索はうまいけれども、腕には自信がなかった。

果して……。

空家の何処からか、三人の浪人が抜刀してあらわれ、松波を取り囲んだ。

「おのれら、何者だ？」

松波は短刀を引き抜いて叫んだが、三人とも無言で、じりじりとせまって来る。

（あ……もう、いけねえ。これが、おれの最期か……）

松波は絶望に抱きすくめられた。

そのときだ。

松波の前から大刀を突きつけて来た浪人が、

「うわ……」

刀を放り出して、横ざまに転倒した。

松波には、何が何だかわからなかった。

外から音もなく入って来た別の浪人が、三人の浪人へ襲いかかったのである。

一人を打ち倒した浪人は、狼狽《ろうばい》して体勢を立て直す間もない二人の刺客《しかく》へ躍りかかった。

「あっ……」

「こいつ、何を……」

叫ぶ一人が頬から顎《あご》へかけて切り割られ、血けむりをあげて倒れた。

残る一人は、

「あっ……」

驚愕《きょうがく》して台所へ逃げようとする、その背中に一刀をあび、悲鳴をあげて土間へ転げ落ちた。

またたく間に三人の刺客を倒した浪人が塗笠をかぶったまま、大刀を懐紙《かいし》でぬぐい清め、ゆっくりと鞘《さや》へおさめた。

松波金三郎は、腰がぬけたようになり、浪人を見まもっている。

この浪人、見たことがあった。

笠の内に顔は隠れているが、その姿、その手練の早わざを忘れるものではない。

「松波。久しいな」

浪人が、こういって笠を除《と》った。

長谷川平蔵である。

「あ……」

「ちょうど、わしがお前のところへ来たからよかったものの、さもなくば、いまごろ冥《めい》土《ど》の旅へ出ていたところだ。お前の勘ばたらきも鈍《にぶ》くなったのう」

「お、恐れ入り……」

「お前が妙な男に連れ出されるのを見て、後をつけて来たのじゃ」

「は……」

松波の、躰中のふるえがとまらぬ。

「外に、お前を案内して来た男が倒れている。当身をくわせておいた。それに、そこの浪人ひとりは峰打ちだ。この二人の手足を縛っておけ」

「は、はい……」

平蔵に斬られた二人の浪人は、まだ、ひくひくとうごいているが、とても助かるまい。また、助からずともよいような無頼《ぶらい》どもなのだ。

「何をしている。早くせぬか」

叱りつけられて松波金三郎、ようやく立ちあがった。

外へ出ると、木立の外の田圃《たんぼ》で蛙が、さわがしく鳴きかわしている。

松波は案内の男の帯で手足を縛りつけてから、

「この野郎!!」

くやしまぎれに、男の顔を蹴《け》りつけた。

五

長谷川平蔵は、捕えた浪人と案内の男を鷺森神明社の近くの進藤斧太郎《しんどうおのたろう》という旗本の屋敷へ連行し、進藤の家来に盗賊改方へ知らせをたのんだ。

役宅から駈けつけてきた同心・酒井祐助《さかいゆうすけ》たちに二人をまかせた平蔵は、

「かまわぬから痛めつけ、吐かせてしまえ」

と、命じた。

二人が役宅へ連行された後に、進藤屋敷へ礼をのべた平蔵は、松波金三郎へ、

「お前のところへ行こうではないか」

「は……」

「どうした。おれが行っては困るのかえ？」

「いえ、あまりにその、むさ苦しいところでございますから……」

「そんなことはどうでもいい」

夜が更けていた。

松波は、平蔵と共に捕えた二人を進藤屋敷へ連行した後、豆腐酒屋へもどり、店を閉めてきている。

店の入れ込みへ坐った長谷川平蔵へ、松波は恐る恐る、豆腐と酒を出したものだ。

これを見て、にやりと盃を手にした平蔵へ松波が酌をした。

徳利を持つ松波の手がふるえ、盃が音をたてた。

「これ、松波……」

「は……？」

「お前ものめ。さ、酌をしてやろう」

「お、恐れ入り……」

「あれから、お前は、おしまという女賊と一緒に暮しているものとばかり、おもっていたが……」

「と、とんでもございません」

「ふうむ、そうだったのか……」

「長谷川様。私は、そこまで腑ぬけではございません」

「いまさら威張るな。同じことではないか」

「私は何事も、牛尾の又平を捕えるために……」

「女賊を抱いたと申すのか……」

「それでなくては、おしまが私に、こころをゆるしませなんだ」

「何度、抱いた？」

松波は、無言で、うらめしげに平蔵を見た眼を逸《そ》らした。

「何度、抱いたと尋《き》いているのじゃ」

とがめているのではない。

さりとて、弄《いら》っているのでもない。

平蔵の口調は、まじめなものであった。

「何度じゃ？」

「は……五、六度《たび》、池ノ端の出合茶屋にて……」

「五、六度な……」

しずかに平蔵が、盃を口へふくみつつ、

「その間に、かの女賊は、すっかり、お前にのぼせあがってしまったらしい。お前に、

それがわかったか？」

「……」

「お前のことじゃ。わからぬはずはない」

微《かす》かに、松波がうなずく。

老爺の太助は、板場の中から息をつめて、気づかわしげにこちらを見まもっている。

「だが、お前にとっては、牛尾一味の捕物がすんでしまえば、女賊の一匹、何のこともなかった。そうなれば見向きもしなかったろう」

「申しあげます」

憤然《ふんぜん》と顔をあげて、松波金三郎は、

「それはもとより、おしまも承知の上でございました。おしまが肌身を……いえ、おしまが私と、あのようなことになりましたのは、もしも、私に騙され、牛尾一味の者どもと共に御縄へかかることを恐れたからでございます。私は約束どおり、おしまを逃しました。それで、はなしはついているのでございます」

「女という生きものに、理は通らぬ」

「え……」

「お前が放逐された後も、おしまは何度かあらわれ、お前に言い寄ったのではないか、どうじゃ？」

「いえ、そのたびに私は、はねつけましてございます」

「何も、はねつけなくともよかったのではないか。お前は、すでに御役目をはなれ、こうして居酒屋の亭主になり、気ままに生きていることゆえ……」

松波は、怒りの目で平蔵を見た。

「怒ったかえ？」

「存じませぬ」

「おしまは、さぞ、がっかりしたろうよ」

「な、何と、おおせられます？」

「お前が御役目をはなれる日を、あれほど待っていたのだからな」

松波金三郎、愕然《がくぜん》となった。

「で、では、あのとき……」

「やっと、わかったか」

「おしまが、私とのことを長谷川様へ密告いたしたのでございますか？」

「うむ」

平蔵が、うなずいて見せると、

「畜生め……」

松波は激怒に躰をふるわせ、

「な、何という女だ……」

と、呻《うめ》いた。

「わしのみか、役宅のみなみなへ、おしまは手紙で告げてよこした」

「う……」

「そうなっては、わしも、お前を庇《かば》いきれぬわ」

「も、申しわけもございませぬ」

がっくりと肩を落した松波へ、平蔵が、

「女とは、そうしたものよ。自分勝手の理屈を通すためには、われを忘れてしまうのだ。お前も手柄を立てたいがために、あまい言葉の一つや二つは、おしまを抱きながら口走ったにちがいあるまい。どうじゃ？」

「う……」

「その、こころにもない、お前のあまい言葉が、いのちとりになったのだ」

松波は、ひれ伏したまま、言葉もない。

「先夜、おしまが突然、此処へ訪ねて来て、お前に小柳安五郎暗殺のたくらみを告げたそうな」

「……」

「そのとき、お前は、もっとくわしく事情《わけ》を尋《たず》ねようとしたのであろう。ところが、おしまは肝心のところを打ちあけようとはしなかった。どうじゃ、ちがうか？」

「……」

「なれど、お前がもし、自分と夫婦《めおと》になってくれるなら、くわしいことを打ちあけよう

と、おしまは言い出たのではないか……わしには、どうも、そのようにおもえるが、どうじゃ？」

「お前は、はねつけた。おしまは怒って立ち去った。そして今夜、お前が、おびき出されたことになる」

「お、恐れ入り……」

松波金三郎は、穴があったら飛び込みたかったろう。

長谷川平蔵が役宅へもどったのは、翌日の夜明けであった。

前日。朝から夜にかけての見廻りで、小柳安五郎を襲った者はいなかったそうな。

平蔵は佐嶋忠介へ、ひそかに、

「松波の居酒屋へ見張りをつけておくがよい。まだ、松波の身が危《あやう》い」

と、命じておいた。

六

小柳安五郎が刺客の襲撃を受けたのは、それから五日後の、夕暮れどきであった。

この間、小柳同心は毎日、定められた順路に従い、単身の市中見廻りをつづけていた。

その順路は、毎日、変った。

前夜に、役宅へもどって来た小柳が、佐嶋与力や、酒井同心、密偵たち、それに剣客浪人・高橋勇次郎などと打ち合わせておくのである。

「なれど、こうなっては、曲者《くせもの》どもは消え失せたやも知れぬ」

と、長谷川平蔵は佐嶋忠介へ洩らした。

松波金三郎の襲撃が失敗に終ったのだから、彼らも、

「迂闊《うかつ》なまねはできない……」

と、おもっているに相違ない。

捕えた男と浪人は、役宅へ連行され、凄《すさ》まじい拷問《ごうもん》を受けた。

何しろ、足の爪の中へ細く裂いた竹を刺し込まれるのだから、たまったものではない。

二人とも、ついに吐いた。

松波を百姓家へ案内した男は、盗賊・高山の治兵衛の配下で松造《まつぞう》という。

牛尾の又平一味が捕えられてのち、治兵衛は一人ばたらきの盗みをしていたらしく、
松造は、その下ばたらきをしている。

無頼浪人どもは、むろん、高山の治兵衛が金で雇い入れたものだ。

平蔵に斬られた二人のほかに、尚、五人の浪人たちが雇われ、これは小柳安五郎を暗殺する手筈《てはず》になっていたらしい。

ゆえに、平蔵は、治兵衛が小柳の襲撃を、

（いまのところは、おもいとどまった……）

と、看《み》た。

こうなっては、盗賊改方の罠に、高山の治兵衛ほどの盗賊が落ちるはずもあるまい。

「おもうに……」

と、平蔵はいった。

「おしまは、近ごろ、何処かで高山の治兵衛に出会ったのであろう。治兵衛は、おしまが松波と組んで一味を裏切ったことに気づかず、松波と小柳を討ち取るたくらみを、おしまに洩らしたにちがいない。松波の居所《いどころ》を探らせるつもりであったのか……」

「つまり、松波・小柳を敵とねらっているのは、牛尾の又平の弟・瀬田の虎蔵ではなかったことになる。

高山の治兵衛が、

「お頭の敵を討つ……」

つもりでいるのだ。

それを、おしまが瀬田の虎蔵の名をつかって、松波金三郎へ洩らしたのは、

「なるべく、仕掛けを大きく見せ、松波をおどろかせたかったのであろうよ」

と、平蔵が、

「おしまは何くわぬ顔で、治兵衛にはだまって松波を訪ねた。もしも松波が自分と一緒に暮してくれるとなれば、今度は松波や小柳の味方になり、高山の治兵衛をわれらの縄にかけさせよう魂胆《こんたん》だったのであろう」

「女とは、まことにもって恐ろしいものでございますな」

「佐嶋。おぬしの女房どのは別じゃ」

「御冗談を……」

「ところが、またしても松波にはねつけられたものだから、ついに、おしまは松波の居所を治兵衛へ告げた。どうも、そのようじゃな」

いずれにせよ、小柳安五郎を囮《おとり》につかうのは、

「もう、やめにいたせ」

平蔵が、そういうと、小柳は、

「では明日いちにちだけにても、やらせていただきたく存じます」

と、いい出した。

しかも、密偵や同僚の援護なしで、

「明日は、てまえ一人にて、廻ってみたいと存じます」

と、いう。

「明日、いちにちだけか……」

「ぜひとも、お願いを……」

「ま、よかろう」

意外にも平蔵は、小柳の願いをゆるした。

小柳は翌朝、打ち合わせもなしに役宅を出て行った。

それが、五日目であった。

この日の小柳は、先ず、浅草へ出て、昼すぎから、さびしい道をえらびつつ、金杉の

通りを突切り、根岸《ねぎし》の里へぬけ、尾久《おぐ》のあたりの田地の道を歩み、道灌山《どうかんやま》から日暮里へ出た。

これまでに何度も、茶店などで足をやすめてきた小柳安五郎だが、諏訪神明《すわみようじん》の境内にある茶店で腹ごしらえをしながら、あたりの様子に目を配ってみたが、尾行されている気配もない。

（やはり、だめか……）

今日は、自分一人だ。

ということは、昨日までとはちがい今日の自分は相手の罠へかかるつもりでいる。

むろん、死を覚悟しているわけだが、運よく、一人でも二人でも捕えることができたならと、小柳は考えていた。

それができなければ、斬死《きりじに》をしてもよい。

ともかくも、

（こうしなければ、相手はあらわれぬ）

と、おもいきわめたのであろう。

日暮里について、むかしの本には、

「……感応寺《かんのうじ》（谷中・天王寺）裏門のあたりより、道灌山を界《さかい》となす。此辺《このへん》、寺院の庭《てい》中《ちゆう》、奇石《きせき》を畳《たた》んで仮山を設け、四時《しじ》草木《そうもく》の花絶えず、常に遊観《ゆうかん》に供《そな》う。就中《なかんずく》二月《きさらぎ》の半ばより酒亭茶店の床几所《しようぎどころ》せく、貴賤《きせん》袖をつどえて春の日の永《ながき》をおぼえぬも、此里の名に

しおえるものならん」

などと記《しる》してあり、折しも晩春の候、日が西へかたむいても、人の足が絶えていなかった。

だが、寺院に囲まれた細い坂道を西へ下るにしたがい、前面は田地と木立がひろがるばかりで、その向うに、本郷の台地がのぞまれるという……これが江戸の内かとおもうほどの田園風景になってしまう。

小柳が襲われたのは、宗林寺という寺の、西側の畑道においてであった。

ようやくに濃さを増した夕闇の中から、三人の浪人が畑道の向うへあらわれ、刀を抜き放つのを見て、小柳安五郎が、

(出たな)

大刀の鯉口《こいぐち》を切り、屹《きっ》と振り向くと、宗林寺の土塀のあたりに、三人の浪人……いや、そのうちの一人は旅姿の町人であったが、これも一斉《いっせい》に抜刀し、背後から肉迫《にくはく》して来るではないか。

小柳は編笠をぬぎ捨て、

「待っていた。来い!!」

と、叫んだ。

町人が何か、喚《わめ》いた。

こやつが、高山の治兵衛である。

小柳安五郎は、それと見て、大刀を真向につけ、背後の治兵衛へ向って、われから猛然と斬って出た。

「早く、片づけておくんなせえ!!」

と、治兵衛が叫んだ。

小柳の前と後ろから、浪人たちが狼のように飛びかかって来た。

七

「あのとき……」

と、小柳安五郎が松波金三郎にいった。

「もう、だめかと思った。前後から押し包まれ、浪人のひとりを斬って殪《たお》したのが精一杯のところで、目は暗《くら》むし、息はつまるし……おれも坪井道場で、かなり修行をしたつもりでいたのだが、ああしたときには、どうにもならぬ」

小柳は左腕に包帯《ほうたい》をし、肩から吊っていた。

そのほか、頬にも薄い刀痕があったし、背中にもある。

あれから一カ月ほど後の或日の昼下りに、どうやら傷が癒え、外出《そとで》ができるようになった小柳安五郎が、豆腐酒屋へ松波金三郎を訪ねて来たのだ。

松波は、まさかに自分が役宅へ顔を出せぬので、老爺の太助へ見舞いの品などを持たせ、何度も役宅へ寄こした。

「いや、おれも気が気ではなかった。それにしても小柳、よくもまあ長谷川様が、お一人で、お前さんの後を尾けて来てくれたものだな。まったく、気がつかなかったのか？」

「気がつかなんだ。かなり、はなれておられたらしい。それでいて、おれを見失うことなく、蔭ながら護《まも》っていて下されたのだ」

小柳の声が、感動にふるえた。

「まったく……」

と、松波は唸《うな》るような声で、

「あの御方のなさることときたら、どうにもこうにも……閉口するばかりだよ」

「畑の道を、宗林寺の方から走って来られたとおもったら、たちまちに、浪人ふたりが転げ倒れていた」

浪人ふたりを斬って倒した長谷川平蔵は、

「小柳。その町人を捕えよ。殺すな」

いいざまに、残る二人の浪人の前へ立ちふさがり、

「こいつらは、わしが冥土《めいど》へ送ってくれよう」

と、いった。

「冥土へ、な……」

「うむ……」

「いざとなると怖いなあ、長谷川様は……」

「怖い」

結果は、平蔵のいうとおりになった。

小柳が捕えた町人は、まさに、高山の治兵衛であった。

おしまと治兵衛について、平蔵が下した推理は、ほとんど適中していたといってよい。

「治兵衛は、どうした？」

「先日、打ち首になったそうな」

「なるほど」

「で、あれから、おしまはあらわれぬか？」

「小柳。どの面《つら》さげて、あの女がおれの前へ出て来られるのだ」

吐き捨てるような、松波金三郎の声だ。

「松波。長谷川様からの御言《おこと》付けがある」

「おれにか？」

「たまさかには、御役宅へ遊びに来いとのおおせだ」

「まさか……」

「ほんとうだよ」

「ほんとう……？」

「うむ」

「そ、そうか……」

こころなしか、松波の両眼に光るものがあったようだ。

ところが、松波金三郎は一度も役宅へあらわれず、夏が過ぎてから、長谷川平蔵が小柳安五郎を従え、市中見廻りのついでに豆腐酒屋へ立ち寄ってみると、店が閉まっているではないか。

近所の人びとによると、

「五日ほど前に、当分は江戸へもどらぬとかいって、二人とも立ち退《の》いた……」

と、いうことであった。

八

ところで……。

この事件があった翌年の秋の或日に、南鍋町《みなみなべちょう》二丁目の玉章堂《ぎょくしょうどう》・松屋新八方の吉兵衛《きちべえ》という番頭が盗賊改方の役宅へあらわれ、佐嶋忠介と語り合っているうち、

「先ごろ、京から帰ってまいりましたが、いや、京の夏は、まことにもってたまりませぬ。何しろ風が絶えてしまい、蒸し風呂へ入ったようなものでございまして」

「なるほど」

玉章堂は、役宅で使用する筆紙その他の文房具を納めてい、本店は京都にある。

ゆえに、番頭の吉兵衛は、本店との連絡があって京都へのぼったのだ。

「さよう、あれは、大分涼しくなってからで、間もなく京を発《た》とうという或日のことでございましたが、木屋町《きやまち》の四条上ルあたりを歩いておりますと、ばったり、松波金三郎さんに出会いました」

「何……」

おもわず、佐嶋は膝《ひざ》をすすめた。

松波が盗賊改方を放逐されたことは、吉兵衛の耳へも入っているが、去年の事件については、まったく知らぬはずである。

吉兵衛と出会ったときの松波金三郎は、小ざっぱりとした町人姿で、こだわる様子もなく、

「おお、玉章堂の番頭さんか……」

「おもいがけぬところで、お目にかかりました」

「そうだな」

「京に、お住いでございますか？」

「いや、大坂で暮している」

「さようで。おなつかしゅう存じます。何処ぞで御酒《ごしゅ》でも……」

「いや、かまうな。連れがいるので……」

いいさして松波は、高瀬《たかせ》川の川面にまで枝と葉を垂れている柳の木蔭に佇《たたず》む女房ふうの女へ顎をしゃくって見せた。

「ごいっしょに、いかがでございます？」

「ま、今日のところは遠慮をしようよ」

松波は、女をうながし、川沿いの道を南へ去ったという。

「あちらにおいでたとは、少しも存じませんでございました」

「玉章堂。その女は、どのような？」

「それが佐嶋様。あれは、どう見ても上方の女ではございません。江戸の水になじんだ女でございますよ。色の浅ぐろい、目のぱっちりとした……さよう、こちらの顎のあたりに、小豆の粒ほどの黒子《ほくろ》がございました」

「さようか……」

黙念《もくねん》となった佐嶋を見て、吉兵衛が、

「何か、あったのでございますか？」

「いや、何……このことは、他言無用にしてもらいたい。ちと、わけがあってな」

「さようで。はい、はい。よくわかりましてございます」

佐嶋忠介は、吉兵衛に聞いたはなしを、長官・長谷川平蔵と、同心・小柳安五郎の耳のみへ、つたえることにした。

平蔵は、そろって居間へあらわれた佐嶋と小柳へ、

「男と女とは、おもしろいものじゃ」

「その女とは、やはり、おしまでございましょうか？」

と、小柳がいうのへ、うなずいた長谷川平蔵がくすくすと笑いながら、こういった。

「おしまも、よほど松波にまいっていたらしい。それにしても女の執念、みごと、つらぬき通したらしいのう」

二《に》度《ど》ある事《こと》は

一

それは、高山の治兵衛一味の始末がついて数日後の、或日の夕暮れのことであった。

無頼浪人たちの刃《やいば》を受けた小柳安五郎は、まだ自分の長屋に臥《ふ》していて、傷の治療に専念している。

この日。

長谷川平蔵が、いつもより早目に市中見廻りを終え、清水門外の役宅へ帰って来ると、折しも、同心の細川峯太郎《ほそかわみねたろう》が表門の門番小屋の外へ佇《たたず》んでいて、

「あ……」

門番の出迎えを受け、表門内へ入って来た平蔵の前へ飛び出して行き、

「も、申しあげます」

と、いささか、顔が蒼《あお》ざめている。

「どうした？」

「は、実は……」

いいさして、あたりを見まわす細川へ、

「よし、庭へまわれ」

やがて、居間へ通った長谷川平蔵が、妻の久栄《ひさえ》に、

「開けてやるがよい。細川が来ているはずじゃ」

「はい」

庭に面した縁側の障子を開けると、すでに細川峯太郎が庭に両手をついていた。

平蔵は、久栄を目顔で去らせてから、

「何事じゃ？」

「実は、あの、明日《みようにち》は非番でございまして……」

「ふむ。非番がどうした？」

「あの、実は、明日が亡き母の命日にあたりますので、墓詣りに出むきたく存じます」

「……？」

非番の日に、母親の墓詣りに行くことを、いちいち長官《おかしら》にことわらずともよいではないか。また、ことわる必要はない。非番なのだから酒をのもうが遊びに行こうが、盗賊

改方の一員として逸脱《いつだつ》しなければ、それでよいのだ。

平蔵は不審そうに、細川を見やったが、すぐに破顔《はがん》した。

そして、威得寺への墓詣りのついでに、権之助坂《ごんのすけざか》の茶店の寡婦《かふ》お長《ちょう》と情事をたのしみ、細川峯太郎の胸の内が、わかったのである。

〔俄か雨《にわかあめ》〕と〔草雲雀《くさひばり》〕の二篇でのべたように、細川同心の菩提所《ぼだいしょ》は目黒の威得寺《いとくじ》だ。

それを平蔵に発見されたことがある。

その後、細川は、先輩の同心・伊藤清兵衛《せいべえ》の次女お幸と夫婦になった。

この結婚はうまく行き、しかも、算盤《そろばん》を相手の勘定方から宿望《しゅくぼう》の探索方《たんさく》へまわされ、いまの細川は張り合いのある毎日を送っている。

しかし、去年の初秋に、お幸と夫婦になっていながらも寡婦のお長を忘れかね、密《ひそ》かに目黒へおもむいた細川峯太郎は、おもいもかけぬことから、その浮気ごころを長官に察知され、

「おのれは、いまだに、非番の日の色事に現《うつつ》をぬかしていたのか!!」

叱りつけられたときには、

(生きている心地がしなかった……)

細川なのである。

なればこそ細川は、目黒へ足を運ぶのさえ、怖かった。

非番の日には、お長との情事と両親・先祖の墓詣りを兼行するため、かならず威得寺

へおもむいていた細川なのだが、このところ、まったくあらわれぬので、威得寺の僧が、

「もしや、御病気ではないかと、和尚様が案じられましてな」

わざわざ先日、四谷の組屋敷へ訪ねて来たのだ。

だが、目黒へ行くとなると、やはり怖い。いま、目黒の見廻りを担当しているのは、他ならぬ木村忠吾だし、忠吾の菩提所もまた威得寺なのである。

もしも、目黒の何処《どこ》かで忠吾と出会ったりしたら、

「昨日、目黒で、細川に出会いましてございます」

忠吾のことゆえ、おもしろがって、長官に洩らすことは必定だ。

木村忠吾は、お長と細川同心とのいきさつを、うすうす知っているのである。

何しろ二度まで、

(あのようなことがあった。二度あることは三度あるとか……)

ゆえに、どうも長官が気になって仕方がない。

さりとて、これより先、威得寺へ行かずにすむわけのものではない。

そこで、おもいきって、長官に墓詣りの事をいい出したのだ。

「よし、よし。そのように気をつかわずとも、安心をして行ってまいれ」

「はっ。かたじけなく存じます」

「わしに礼をのべるやつがあるものか。それよりも明日、両親の墓前へ無沙汰を詫《わ》びてまいれ」

「ははっ」

一度に、細川峯太郎は気が軽くなった。

こうなれば、木村忠吾に出会っても大安心であった。

そして翌日の昼前に、細川は、妻のお幸と老僕の吉兵衛に見送られ、

「帰りに、桐屋の黒飴《くろあめ》を買って来るぞ」

いい置いて元気よく、四谷の組屋敷を出て目黒へ向った。

二度あることは三度ある。

この日、目黒で自分を待ちかまえている出来事を、細川峯太郎は少しも予期していなかった。

二

日の輝きは、夏のものといってよかった。

細川峯太郎が、威得寺の、父母の墓前にぬかずいていると、墓地の木立から、松蟬《まつぜみ》が鳴きそろってきて、

(もう、夏か……あれから、一年になる。早いものだなあ……)

忘れようとしても忘れられぬ去年の初夏、茶店のお長と雨宿りに飛び込んだ百姓家での異変が、細川の脳裡《のうり》に浮かんでくる。

(お長は、どうしているかな。おれの代りの男を見つけたろうか。あの女は、とても男

なしではいられぬはずだ）

お長の熟《う》れきった肌身の感触や、その、こころよい重味が、なまなましく細川の汗ばんだ躰へよみがえってきた。

それに、あの狂態といってよいほどの激しい仕ぐさや、ほとばしる歓喜の声は、妻のお幸に求めても求め得られぬものだ。

だからといって、一間《ひとま》へだてた向うの小部屋で眠っている老僕・吉兵衛に気をつかい、必死によろこびの声を嚙《か》み殺しているお幸のいじらしさも、

（悪くはない……）

などと細川、ぜいたくなことを考えながら和尚に挨拶《あいさつ》をすまし、威得寺を出た。

ついでに、目黒不動へ参詣をしたが、われ知らず、参詣の人びとの中に、

（もしやして……？）

お長の姿を探しもとめている自分に気づき、

（あ、いけない。おれは、どうしてこうなのか……）

おもわず舌打ちをし、桐屋の黒飴をみやげに買い、細川は帰途についた。

だが細川は、まだ、お長を忘れ切れてはいなかった。

けれども、お長に会うつもりは毛頭ない。

前の二度の事件で、細川は懲《こ》りている。

それなのに知らず知らず、細川の足は、お長の茶店へ向っていた。

行人坂《ぎようにんざか》をのぼりきって、そのまま真直ぐに白金《しろかね》の通りを東へすすめばよいものを、逆もどりをした細川峯太郎は権之助坂の右側の松平主殿頭《まつだいらとのものかみ》下屋敷《しもやしき》の塀の蔭へ身を寄せ、坂の向う側にある、お長の茶店・越後屋を塗笠の内からながめやった。

茶店に客がいる。

接待をしているのは、お長の死んだ亭主の父親・嘉平《かへい》であった。

お長は、外出《そとで》をしているのであろうか。

(よそながら、一目、お長を見て……)

と、おもっていた細川は、がっかりしたが、

(危い、危い。いなくてさいわいとおもわなくてはいけない)

土塀の蔭から出ようとして、

(おや……?)

このとき、はじめて気がついた。

というのは……。

お長の茶店のとなりに、去年の秋まで「かぎや」という小間物屋があり、そこで盗賊改方が盗賊・鳥羽《とば》の彦蔵《ひこぞう》を捕えた。

小間物屋の亭主も盗賊で、瀬川《せがわ》の友次郎《ともじろう》といい、女房のおきぬに小間物屋をやらせていたのだ。

彦蔵は、それと知らずに、おきぬと情事を重ねた結果、友次郎を殺害してしまったの

である。

おきぬは何も知らなかったが、当時としては刑罰をまぬがれることはできない。いま、島送りになっている。

こうしたわけで、小間物屋はなくなってしまったわけだが、何しろ捕物があった家というので、いまだに借り手がついていない。

表の戸は、閉ざされたままであった。

その空家の前を、ひとりの老人が行ったり来たりしていたが、そのうちに、あたりを見まわしてから、閉まっている戸を二度、三度と叩くのが細川の目にとまったのだ。

こたえがないので、老人は困惑の表情で佇んでいたが、今度は、お長の茶店へ入ろうとした。いや、入りかけてやめ、また空家の前を通りすぎた。

通りすぎながらも、怪訝《けげん》の面《おも》もちで空家を振り返ったりしている。

(こいつ、怪しい)

と、細川峯太郎は直感した。

鳥羽の彦蔵は、すでに打ち首となって、この世にはいない。

彦蔵が盗賊改方の調べを受けたとき、白状におよんだところによれば、自分が殺してしまった瀬川の友次郎は、もと大盗・簑火《みのひ》の喜之助《きのすけ》の配下で、簑火一味が解散した後は、いわゆる盗賊の世界で一人ばたらきとも、また、ながれ盗《づと》めともいう非専属《フリー・ランス》の盗賊であったそうな。

その瀬川の友次郎の隠れ家を、友次郎が殺されたとも知らずに、ひとりの老人が訪ねて来て、

（この家に、だれもいないとは、どうもおかしい）

という様子なのに、細川は気づいたことになる。

（もしやして、あの老爺《おやじ》、どこかの盗賊の片割れではないのか。そして友次郎に何かの連絡《つなぎ》をつけにあらわれたのでは……？）

このことであった。

老人は、あきらかに町人なのだが、軽衫《かるさん》のようなものを穿《は》き、杖《つえ》をついている。

むろん、六十はこえていよう。

老人は、ついに、あきらめた。

お長の茶店へ入りかけたのは、となりの家の様子を尋ねようとして、おもいとどまったように見えた。つまり、それだけ人の目をはばかっていることになる。

白金の通りを東へ歩みつつ、老人は二度、三度と権之助坂の方を振り向いて見た。

（むだでもいい。ともかくも尾《つ》けてみよう）

と、細川はおもった。

快晴の午後で、人通りも少くない。これが尾行には、うってつけなのだ。

こうして細川峯太郎は、老人が芝の三田二丁目にある眼鏡師《めがねし》の家へ入るのを突きとめた。

それとなく、近所で尋ねてみると、そこは老いた眼鏡師・市兵衛《いちべえ》の家で、下男と弟子との三人暮しだそうな。

三

その夜。

寝床へ身を横たえた眼鏡師の市兵衛は、

(どうも、おかしい。妙なことだ)

なかなか、眠ることができなかった。

市兵衛は、これも、むかしは大盗・簑火の喜之助の配下で、簑火一味の盗《つと》めがさかんなころは、眼鏡師の家も、一味の盗人宿であった。

だが、簑火一味が解散し、お頭《かしら》の喜之助も死んだいま、市兵衛は腕のよい眼鏡師になりきっている。

五助という中年の下男と、杉太郎という素直な若い弟子は、市兵衛が盗みばたらきの足を洗ってから雇い入れたわけで、むろん、市兵衛の前身を知らぬ。

むかしも、この家が盗人宿だったことを知っているのは、数人にすぎなかったはずだ。

簑火の喜之助は、江戸に数カ所の盗人宿をもっていたが、その中で市兵衛の家を自分が寝泊りするために使用していた。

それゆえ、お頭の喜之助のほかには、重立《おもだ》った配下のうちの四、五名が、市兵衛の家

を知っていたにすぎぬ。

その連中は、ほとんど病死してしまったけれども、中に一人、瀬川の友次郎が生きていて、現役の一人ばたらきの盗賊だ……と、いまも市兵衛はおもいこんでいる。

むかし、若かった友次郎が市兵衛の家を知っていたのは、篝火の喜之助に可愛がられて、喜之助の身辺をはなれなかったからだ。

また友次郎は、お頭の指令を諸方の盗人宿へ伝える〔役目〕をも果していたことになる。

市兵衛は、そのころから眼鏡師として、いまの家に住みついていたわけだが、江戸在住の配下として種々の情報をあつめることもしていたし、お頭に代って連絡《つなぎ》の指図もした。

だが、盗賊としての市兵衛が、篝火の喜之助にとって、

「なくてはならぬ……」

男だったのは、何といっても、押し込み先の金蔵《かねぐら》の錠前を外す鍵つくりの名人だったからである。

そのころの市兵衛の家には三坪ほどの地下蔵が設けられてい、其処《そこ》で市兵衛が鍵をつくっていたのだ。

いま、その地下は毀《こわ》され、埋められてしまっている。

さて……。

去年の秋に、友次郎が此処《ここ》へ訪ねて来て、目黒の家へ帰ったとき、鳥羽の彦蔵に殺されたことを市兵衛は知らぬ。

したがって、友次郎が女房おきぬと暮していた小間物屋へ、盗賊改方の手が入り、おきぬが島送りになったことも知ってはいない。

あのときから、およそ九カ月がすぎている。

そして今日、眼鏡師の市兵衛が友次郎の家を訪ねたのは、

(久しく顔を見せないが、友次郎さんは、どうしたろう?)

何となく、気にかかってきたからである。

いま、市兵衛がつき合っているむかしの仲間は、瀬川の友次郎ひとりといってよい。

ほんらいなら、足を洗った自分が、いまも盗賊の友次郎とつき合ってはならぬわけだが、市兵衛は、むかしから友次郎に好感を抱いていたし、二人が簑火一味にいたころは、二十余も年下だった瀬川の友次郎の面倒を何かにつけて見てやったものだ。

それに友次郎は、いまもって、亡き簑火一味の盗めの掟《おきて》をまもりぬき、

「殺傷をせぬこと。盗まれて難儀するものへは手を出すまじきこと。女を手ごめにせぬこと」

の三カ条を金科玉条《きんかぎよくじよう》としているはずだ。

去年の秋に友次郎が訪ねて来たとき、何でも、盗賊・西浜《にしはま》の甚右衛門《じんえもん》一味の押し込みに加わり、大坂の南堀江の砂糖問屋へ盗めをしたとき、

「若い奉公人が、いきなり私に組みついてきて大声をあげたので、振り放して突き飛ばしたら、仰《あお》のけに大台所の石畳へ倒れ、頭を打ち、そのまま息が絶えてしまった……」

そのことを、友次郎は悔みぬいていた。

「お前さんや篝火のお頭に仕込まれた私が、たとえ、その気はなかったにせよ、とうとう、押し込み先で人を殺《あや》めてしまった。お頭が生きていなすったら、私に死ねといいなさるだろう」

しきりに、うったえる友次郎を、市兵衛は、なぐさめ、はげまし、

「もう一息、稼いだら、足を洗うはずのお前さんだ。そのときまでの辛抱だから、忘れておしまい。わしだって、そんなことなら、相手を突き飛ばしていたにちがいない。いまだからいうが、篝火のお頭も、やはり、二人ほど殺めていなさるのだ」

そういってやると、友次郎は、

「お頭も？」

「物のはずみで、仕方もないことがあるものだよ」

「そ、そうか。そうでございましたか……」

急に、友次郎は生き返ったようになり、元気を取りもどし、目黒の家へ帰って行ったのである。

それで、市兵衛も安心をしていた。

眼鏡師としての明け暮れもいそがしかったし、七十に近い市兵衛にとっては、月日の

ながれがまことにあわただしく、早い。

いつの間にか新しい年が明け、春が過ぎ、夏が来ようとしている。

（そうだ。友さんはどうしているだろう？）

そこで、前に一度、訪ねて行ったこともある友次郎の家へ行ってみると、家の戸が閉ざされている。戸を叩いても、こたえがない。戸の隙間《すきま》から中を窺《うかが》ってみると、道具類もないようだし、そもそも人が住み暮している様子ではない。

（はて……？）

市兵衛は、不安になってきた。

友次郎がいなくとも、女房のおきぬはいるはずだから、それとなく友次郎の近況がわかるとおもっていたのだ。

簑火のお頭が二人ほど殺めていると、市兵衛が友次郎へ告げたのは、嘘《うそ》であった。簑火の喜之助は、六十余年の生涯で、ただの一人も殺害していなかったが、何とかして友次郎の気を引き立てようとおもい、咄嗟《とっさ》に市兵衛は嘘をついた。

それで友次郎も、元気が出て帰って行ったが、

（もしやして……？）

あれから後、またしても苦悩しはじめ、自殺でもしたのではないかとさえ、おもえてきた。

（何かのわけあって、目黒の家をたたむなら、わしに何とか知らせてよこすはず……）

だからである。

友次郎夫婦が住んでいた家は、人殺しがあった上に、盗賊改方の手が入ったというので、いまのところ、借り手もつかぬことを、市兵衛はまったく知らない。

女房も子もない市兵衛だけに、むかしなじみの瀬川の友次郎のことを忘れきれるものではない。

となりの茶店で尋ねようかとも考えたが、そこは何といっても市兵衛の前身が前身である。

（迂闊《うかつ》なまねはできない）

と、おもった。

一つには、友次郎が捕えられたということもありうる。

となれば、尚更に言動をつつしまねばならぬ。

それで我家へもどって来たのだが、時がたつにつれ、心配はつのるばかりとなった。

瀬川の友次郎は、これまでに諸方の盗賊たちと盗みばたらきをした分け前の大半を、

「すまねえが市兵衛さん、あずかっておくんなさい」

と、市兵衛へあずけておいた。

それが、いま、百五十両ほどになっている。

友次郎は女房のおきぬへ、京都で高級な小間物を仕入れ、それを諸国の得意先へ売りさばくのが自分の商売だといってあった。

したがって、大金を我家へ置くことは、

「女房に怪しまれる……」

わけにもなる。

（あと一息で、友さんは足を洗うつもりでいたらしいが、それにしても、いったい、友さんは何処へ行ってしまったものか……？）

市兵衛が、眠れぬままに何度も寝返りを打っているころ、四谷の組屋敷の長屋では、同心・細川峯太郎が、これも眠れずにいた。

となりで、妻のお幸が健康な寝息をたてている。

（さて、どうしたものか……？）

細川は、今日のことを長官・長谷川平蔵へ報告していない。

瀬川の友次郎一件の小間物屋は、お長の茶店のとなりにある。

今日のことを告げれば、自分が、お長の茶店へ近づいたことを平蔵にさとられてしまう。それが怖い。

報告しようとして、しきれなかった。

だが、報告をしなければ、見張り所を設けることもできぬ。

いまの細川峯太郎は、平蔵のお供をすることもなく、単身で深川方面の見廻りを受けもっていた。

（どうしよう。おもいきって、申しあげようか……いや、そうしなくてはならぬ。たと

え、お叱りを受けようとも、そうするのが、おれのつとめだが、なれど怖い。あの長谷川様に睨《にら》まれるかとおもうと、寒気がしてくる……）

細川も、眼鏡師の市兵衛も、ついに一睡もせず、翌朝を迎えた。

その朝の、空が白みはじめたころであったが、三田の市兵衛の家の裏の戸を密かに叩く者がいる。

眠っていなかっただけに、市兵衛は、すぐに気づいた。

（だれだろう、いまごろ……？）

ときがときだけに、市兵衛は胸が騒いだ。

（もしやして、友さんではないだろうか……？）

下男と弟子が目ざめる前に、市兵衛は立ちあがっていた。

四

寝間の次の間から台所へ出て、土間へ下りた眼鏡師の市兵衛が、

「どなたでございますか？」

声をかけると、戸を叩く音がぴたりと熄《や》んだ。

「もし、どなた……」

「私だよ、市兵衛さん」

「え……？」

「三雲《みくも》の利八《りはち》だよ」

「み、三雲の……」

「そうとも。この声を忘れなすったかえ？」

忘れるものではない。

市兵衛や友次郎といっしょに、亡き篝火の喜之助の配下だった盗賊なのである。

(それにしても、よく、此処がわかったものだ)

市兵衛は、家の中の気配をうかがった。

下男と弟子は、表の店のほうへ寝ている。

一間きりの二階は、今年に入ってから市兵衛の仕事場になっていた。

下男も弟子も、目ざめた様子はない。

「市兵衛さん。ともかくも、戸を開けて下さいよ」

開けぬわけにはいかない。

三雲の利八も篝火の喜之助に仕込まれた盗賊だけに、市兵衛へ迷惑をかけるようなまねはしないはずだ。

たとえ、下男や弟子が戸を開けたとしても、怪しまれるような態度は見せなかったろう。

そっと、戸を引き開けた市兵衛の前へ、町人の旅姿で三雲の利八が立っていた。

利八は、瀬川の友次郎より四つ五つ年下のはずであった。

背丈も鼻すじも高く、男ぶりもよくて、若いころの利八を、

「うちの連中の中で、先ず、役者にしてみたいとおもうのは、三雲の利八ひとりだな」

などと、お頭の喜之助が市兵衛へ洩らしたこともある。

当時の利八は、簑火一味の盗賊の中でも〔末席〕のほうだったし、したがって、この市兵衛の盗人宿を知っていなかった。

それが、知っていた。

知っていたからこそ、訪ねて来たのだ。

「ま、おあがり」

「すみませんねえ、市兵衛さん」

「む……」

台所の板敷きの一隅に、二階への梯子段《はしごだん》があった。

市兵衛は、とりあえず、利八を二階の仕事場へあげた。

「市兵衛さん。すっかり御無沙汰をしてしまいました」

両手をついた三雲の利八は、まだ、四十をこえていないが、年よりはずっと若く見えた。旅仕度も堅気《かたぎ》の町人のものだし、以前よりは顔にも躰にも肉がつき、血色があざやかであった。

「此処が、よくわかったね？」

と、市兵衛は眼を据えた。

「ええ、まあ……」

「どうして、わかったのだね？」

「どうしてって、市兵衛さん。以前から知っていましたよ」

「以前から……」

「ええ」

「お前さんの耳へは、入っていなかったはずだがね」

「いまさら、いいじゃあございませんか」

利八は、声もなく笑った。

その笑い方が、市兵衛には気に入らなかった。

どうして気に入らぬといわれても困るが、

（何となく……）

気に入らなかった。

笑って、上目づかいに自分を見ている利八の眼の色も気に入らなかった。

（むかしは、こんな薄暗い眼つきをしてはいなかった……）

このことである。

「利八どん」

「何です？」

「私が足を洗ったことは知っていなさるね」

「ええ」

「お前さんは、いまだに、お盗《つと》めをしていなさるそうな」

「よく知っておいでなさいますね」

三雲の利八が、これも、一人ばたらきの盗賊をつづけていることを、市兵衛は瀬川の友次郎から聞いたことがある。

「足を洗った私のところへ、盗みばたらきのお前さんが顔を見せてはいけないね」

「そうですかね」

「そうだろうじゃないか。簑火のお頭に仕込まれた、お前さんが、このことをわきまえていないはずはないとおもうが……」

そういいながら市兵衛は、

(これはいけない。この家に住み暮していては、いけないようだ)

と、感じはじめている。

「用がなければ、帰ってもらおうかね、利八どん」

「ま、そういいなさるな。朝飯の一つも御馳走しておくんなさいよ」

ねっとりとした口調でいう三雲の利八に、市兵衛の嫌悪がぬきさしならぬものとなってきた。

「いや、いけない。帰っておくれ」

「そんなことをいって、いいのですかえ」

「何……」

それから半刻（一時間）もの間、市兵衛は中二階から下りて来なかった。

また、三雲の利八も、この家を出て行かなかった。

朝空が明るくなって、下男の五助が台所へ出て行くと、二階から青い顔をして市兵衛が下りて来た。

「あれ、旦那さん。もう、お目ざめだったかね」

「うむ……あの、な……」

「へい？」

「上に、客が来ている」

「へえ、いつの間に？」

「裏の戸を叩いたので、私が起きたのだよ」

「そりゃあ、すみませぬ。うっかりしていて……」

「なに、かまわない。だからね、朝の仕度が一人増《ふ》えた」

「へい、わかりました」

「むかしの、私の知り合いなのだよ」

「あれま、そうかね」

「杉太郎へも、そういっておいておくれ」

「へい、へい」

「では、たのむよ」

と、また市兵衛が二階へあがって行くのを見送った五助は、

(旦那さん、顔の色がよくねえ。このところ暑くなってきたので、蒲団《ふとん》を剝《は》いで風邪引きなすったかな……?)

そうおもった。

五

この朝。

組屋敷から清水門外の役宅へ出勤をした同心・細川峯太郎は、まだ、煮え切らなかった。

(そうだ。いま少し、見きわめてからでもよいのではないか……)

長官に顔を見られるようなことがあっては、まずい。

細川は、浪人の姿になり、

「見廻りに出ます」

と、佐嶋忠介へ言い、すぐに役宅を出た。

着ながしに両刀を帯し、浅目の編笠に顔を隠した細川は、受けもちの深川へ向ったのではない。

昨日、あの老人が入って行った眼鏡師の家へ急いだ。

（それにしても困った……）

もしも、あの眼鏡師が怪しいとなれば、とても自分一人での探索はむずかしい。

（そのときは、何と長谷川様へ申しあげたらよいものか……？）

当然、長谷川平蔵は、

「何故、ただちに申し立てなかったのか!!」

細川を叱りつけるに相違ない。

目黒の、お長の茶店の前を通ったことも、わかってしまう。

（あの眼鏡師が、盗賊どもと関わり合いのない老人ならばよいのだが……）

しかし、どう考えても怪しい。

瀬川の友次郎が住んだ家の前で、困惑と不安の様子を見せていた眼鏡師ゆえ、何かの関係があるものと看てよい。お長の茶店へ入りかけてためらい、ついに、あきらめて引き返して行った市兵衛の様子を細川は見逃していなかった。

（ああ、おれはどうかしている。やはり、昨日のうちに長谷川様へ申しあげておくのだった）

空が重苦しげに曇っていた。

風も絶えて蒸し暑く、三田へ着いた細川峯太郎の躰は汗に濡《ぬ》れている。

眼鏡師の家は、三田二丁目と三丁目の間の道を西へ曲がって五軒目にあった。

筋向いの三丁目に、小玉庵《こだまあん》という蕎麦屋《そばや》がある。

（ともかくも、此処へ入り、酒でものみながら、それとなく眼鏡師のことを尋《き》き出してみようか）

店を開けたばかりの小玉庵へ、細川は入って行った。

これより先……。

長谷川平蔵が羽織・袴《はかま》をつけ、馬に乗って役宅を出た。

平蔵は、この日、芝・二本榎《にほんえのき》（現東京都港区白金台）に屋敷をかまえる六百石の旗本・細井彦右衛門《ほそいひこえもん》の病気見舞いに出かけたのである。

平蔵より年下の細井彦右衛門については、これまで何度か書きのべておいたが、いまも尚、労咳《ろうがい》（肺結核）という厄介な病気と闘っている。

当時の労咳は死病であったが、彦右衛門は気落ちせずに闘病をつづけていた。

双方の父の代からの交誼《こうぎ》がある上、平蔵は若き日の放埒《ほうらつ》時代に、彦右衛門の亡父・細井光重《みつしげ》が心配してくれ、いろいろと庇護《ひご》してくれたことをいまも忘れず、病身の彦右衛門の見舞いを欠かしたことがない。

細井彦右衛門を見舞うときの長谷川平蔵は、道順でもあるので、新銭座《しんせんざ》に住む幕府の表御番医師・井上立泉《りゅうせん》邸へ立ち寄るのを例とした。

そして、立泉から高価な薬をととのえてもらい、これを細井彦右衛門へわたすのである。

井上立泉邸で時をすごした平蔵は、赤羽橋をわたって、三田の通りへ馬をすすめた。

そのとき……。

小玉庵で酒をのみ、蕎麦をすった細川峯太郎が勘定をすませ、外へ出ようとしている。

蕎麦屋の小女に尋ねたところ、眼鏡師の老人は市兵衛といい、

「もう、ずっとむかしから、あそこに住んでおいでなさいますよ」

とのことだ。

下男も弟子も愛想がよいし、小玉庵の蕎麦を出前させることもたびたびだが、あるじの市兵衛は、あまり近所づきあいをしないそうな。

あまり執拗《しつよう》に尋ねては怪しまれるし、探索方へまわってから日も浅い細川峯太郎だけに、尋ね方も巧妙とはいえなかった。

外へ出た細川は、眼鏡師の家の前を二度ほど往《い》ったり来たりした。

店に昨日の老人の姿はない。

若い弟子らしいのが眼鏡の玉を磨《みが》いているのが見えた。

(さて、どうするか……)

人通りも少くない。

あまり、うろうろしていては、こちらが怪しまれよう。

(やはり、申しあげよう。見張り所がなくては、どうにもならぬ)

細川は意を決し、三田の通りへ引き返した。

通りへ出て、もう一度、細川は眼鏡師の家の方を振り返って見て、

（あ……）

はっとなり、咄嗟《とっさ》に三田三丁目の角の古道具屋の軒下へ身を寄せた。

その細川の姿を、折しも通りかかった長谷川平蔵が見つけて、

（や、あれは細川。どうして、かようなところに……？）

不審におもったが、そこは平蔵だけに、すこしもあわてぬ。

騎射笠《きしゃがさ》をかたむけて、ゆっくりと馬をすすませ、細川へ近寄って行った。

軒下にいる細川は、これに、まったく気がつかぬ。

眼鏡師の家から、昨日の老人が旅姿の町人を送り出して来るのを見た細川は、

（これは、臭《くさ》いぞ）

と、感じた。町人の旅姿なのが、気に入らなかった。

眼鏡師は町人に何かささやき、すぐに家の中へ入ってしまった。

旅姿の町人は薄笑いを浮かべつつ、菅笠《すげがさ》をかぶり、三田の通りへ出た。

古道具屋で品物を見ているふりをしていた細川同心は、

（よし、あの町人を尾けてみよう）

と、決意し、軒下をはなれた。

このとき、馬上の長谷川平蔵は古道具屋の横を通り過ぎ、通新町《とおりしんまち》へかかり、馬を止めていた。

そして、三田の通りを赤羽橋の方へ行く細川峯太郎の後姿を見つめていたのである。

(ふうむ……細川は、先へ行く旅姿の町人を尾けているらしい)

深川で何かの手がかりをつかみ、こんなところまでやって来たものか! ……。

(彼奴《きやっ》め。すこしは鼻が利くようになったのか……)

長谷川平蔵の顔に、微笑が浮かんだ。

そして平蔵は、尾行を開始した細川の背後から、かなりの間隔《かんかく》をたもちつつ、馬を歩ませはじめた。

町家の軒下から疾《はし》り出た燕《つばめ》が一羽、馬上の平蔵の笠の縁《ふち》を掠《かす》めて空へ舞いあがって行った。

そのころ……。

眼鏡師の家では、あるじの市兵衛が、二階の仕事場で手紙のようなものをしたためている。

一通は、下男の五助に、別の一通は弟子の杉太郎へあてたものである。

二人に、よくわかるような、やさしい仮名文字《かなもじ》で、市兵衛は別れの書き置きを書いているのだ。

「急に、よんどころないわけあって……」

自分は遠いところへ旅立たねばならなくなった。

そのわけを、いま語るわけにはいかないが、縁があれば、また、会えることもあろう。

長い間、いろいろと親切にしてもらい、ありがたいとおもっている……と、およそ、このような文面であった。

そして、二人には金二十両ずつを紙へ包み、手紙にそえて小机の上へ置いた。

五助も杉太郎も、江戸市中に身寄りの者がいるし、

（困ることもあるまい）

と、市兵衛はおもっている。

何も知らぬ二人は、階下にいて、それぞれの仕事に取りかかっていた。

市兵衛は、戸棚の奥に隠してあった百五十両を引き出した。

これは、瀬川の友次郎からあずかっている金だ。

そのほかに五十両、これは自分の金を共に包み、腹へ巻いてから着替えをすました。

「やれやれ、これまでのことか……」

つぶやいて、仕事場を見まわした市兵衛は、深い嘆息を洩らした。

篝火の喜之助が存命中から、長年にわたって住み慣れた我家なのである。

（だが、こうなっては……）

こころを決めるより、ほかに道はなかった。

三雲の利八は、市兵衛に、

「今度、おれの盗めに加わり、鍵をつくってくれ」

と、いった。

押し込む先は、両国の吉川町にある上総屋《かずさや》という鼈甲細工屋《べっこうざいく》で、すでに引き込みが入っていい、金庫の蠟型《ろうがた》もとってあるそうな。

「鍵つくりなぞ、此処ではできない」

と、市兵衛がはねつけるや、三雲の利八は、

「なあに、場所は、こっちで仕度をする。明日の昼ごろ迎えに来るから、そのつもりでいなせえ」

「ふうむ……」

一瞬、市兵衛は沈黙した。

そのときに、肚《はら》が決まった。

決まったからには、利八に肚の内をさとられてはならぬ。

そこで、すぐさま、

「仕方もねえことだ。そのかわり利八どん。今度かぎりにしておくれよ」

引き受ける決意を、わざと顔に見せていうや、

「そうか、ありがてえ。さすがは物わかりのいい市兵衛さんだ」

「お前さんに、此処を嗅《か》ぎつけられたのでは、どうしようもない」

「う、ふふ……」

「それにしても、お前さんは、どうして此処に、わしが住んでいることがわかったのだ?」

「なあに、むかしのことさ」

「むかし……？」

「篝火のお頭が生きていなすったころ、何かのときに後を尾けてみたのさ。そうしたら、この家へ入りなすった。そこで市兵衛さん、お前が眼鏡師になっていようとは知らなかったよ。さすがに篝火のお頭のふところは深かった。おれたちが知らねえことも、ずいぶん、あったのだろうな」

「ときに利八どん。今度の盗めというのは、お前さんが手配《てくば》りをしているのかえ？」

「そうさ。十二、三人、駆りあつめたよ」

「大丈夫かえ？」

「市兵衛さんに迷惑はかけねえよ」

「血は見ないのだろうね？」

「血をながすくらいなら、お前に鍵つくりをたのみはしねえ」

ともかくも三雲の利八は、市兵衛の言葉に安心をして引きあげて行ったようだ。

むろん、いまさら、市兵衛は盗みばたらきの手つだいをするつもりはない。

（もう、これまでだ）

いさぎよく、この家を捨て、自分ひとりの行方を暗《くら》ます肚を決めたのであった。

利八は、こうなったら市兵衛をはなそうとはしない。

（若いころから、わしは利八がきらいだった。お頭の後を尾けて、この家をたしかめて

おいたなぞ、やはり油断のならねえ男だった）

身仕度を終えた市兵衛は、しずかに階下へ下りて行った。

仕度といっても外出《そとで》の着物を身につけただけである。腹に巻いた二百両のほかには何一つ持っていない。

店へ出て来た市兵衛へ、杉太郎が、

「お出かけでございますか？」

「ちょいと、高輪《たかなわ》まで」

「はい」

「五助は？」

「いま、魚屋へ行くと申しまして……」

「あ、そうかえ。それでは杉太郎。留守をたのんだよ」

「行っておいでなさいまし」

「はい、はい」

そこは、さすがに市兵衛であった。

いつもの外出のときと少しも変らぬ様子で、杉太郎を見返りもせず、家を出て行った。

夜になれば、いつものように杉太郎が二階の窓の雨戸を閉めに来る。

そして、市兵衛が残した二通の手紙と金四十両を小机の上に見出すであろう。

（杉太郎は、じゅうぶんに仕込んでおいたから、どこの眼鏡師のところへ行っても恥を

かくことはない)
それをおもうと、市兵衛の胸の内も、いくらかは明るくなった。

六

いつの間にか、夕闇が濃くなっているのに気づき、松の木蔭に屈《かが》み込んでいた細川峯太郎は、

(こ、こんなことを、いつまでもしていてはならぬ)

あわてて、腰をあげた。

松の木立の向うに、藁《わら》屋根の百姓家が一つ見える。

そこへ、三雲の利八は入って行ったのだ。

入って行ったきり、利八は出て来ない。

ここは、渋谷の氷川明神《ひかわみようじん》の社《やしろ》に近かった。

当時のこのあたりは、見わたすかぎりの田地と木立ばかりで、渋谷川に沿った氷川明神とか金王八幡《こんのうはちまん》とか、宝泉寺とか、寺社の門前には人家もあるが、いま、細川同心が見張っている百姓家は渋谷川のほとりにあり、まわりは松林になっている。

家の裏手の岸辺に、小舟が一つ、舫《もや》ってあった。

(こうなれば、とても、おれ一人の手にはあまる)

だれか外へ出て来たら、

(もう少し尾けてみよう)

と、考えていた細川だが、この上、自分一人の思案で勝手にはたらくことは不可能でもあるし、それは盗賊改方の同心として逸脱することになる。

役宅では、今日も細川が深川の見廻りへ出ているとおもっているのだ。

(仕方がない。お仕置を受けてもよい。長谷川様に申しあげよう)

細川は、やっと決意をした。

となれば、

(急がねば……)

ならぬことは、いうまでもない。

松林の中を歩み出した細川峯太郎の姿を、

「ほれ、出て来やがった」

と、見つけ出したのは、三雲の利八であった。

利八は、百姓家の中にいて、壁の一隅に仕掛けた〔のぞき穴〕から、外を見張っていたのである。

細川は、

(気づかれてはいない)

と、自信をもっていたが、利八は気づいていた。

渋谷川に沿った道を広尾の大祥寺の近くまで来たとき、

（どうも、尾けられている……）

ような気がしてきた。

そして、尾行者は浪人らしい男が一人とわかったので、

（よし。こうなれば引きつけて、見とどけてやろう。まさか、市兵衛がさしむけたわけでもあるまい。盗賊改メでもねえとおもうが……）

利八は大胆であった。

渋谷の百姓家のほかにも、深川に盗賊宿を設けてあるし、このほうが利八の本拠といってよい。

それだけに、尾行者を撒《ま》くことよりも、その正体を見とどけることが肝心であった。

それでなくては、

（安心をして、上総屋へ押し込むことができねえ）

ことになる。

「よし。あの浪人を叩き伏せて連れて来い」

と、三雲の利八が傍にいた三人の屈強の男に命じた。

この三人も、盗賊であることはいうをまたない。

そのほかに、この百姓家のあるじになりきっている五十がらみの男がいた。

「まかせておきねえ、利八どん」

「たのんだぜ」

「いいとも」

三人が棍棒《こんぼう》をつかんで、裏口から外へ出ようとしたとき、その台所の戸の外から、

「盗賊ども、うごくな!!」

長谷川平蔵の大音声《だいおんじょう》が聞こえたではないか。

百姓家の中の五人は、愕然《がくぜん》と顔を見合わせた。

「われは盗賊改方・長谷川平蔵である。この家《や》のまわりは取り囲んだ。逃げようとて逃げられはせぬ。三雲の利八。神妙に御縄を受けよ」

その言葉に嘘はない。

平蔵は、渋谷の宮益坂《みやますざか》の上にある幕府の黒鍬組《くろくわぐみ》の組屋敷から五名ほどを借り受け、この百姓家を包囲したのだ。

それは、細川峯太郎が引きあげるのと入れちがいのことであった。

「畜生。こうなったら切っぱらって逃げるばかりだ」

喚《わめ》いて、右手に短刀、左手に棍棒をつかんだ一人が、裏の戸を引き開けて外へ飛び出したが、

「莫迦《ばか》者」

待ちかまえていた長谷川平蔵に蹴倒《けたお》され、つぎに飛び出して来た二人が、

「野郎!!」

「くたばれ!!」

棍棒で打ってかかるや、腰を沈めた平蔵の腰間《ようかん》から疾《はし》り出た大刀が一閃《いっせん》して、二人の鼻の頭と耳朶《みみたぶ》を切り落した。

「うわ……」

「ぎゃあっ……」

度肝を抜かれて腰を抜かした二人を黒鍬組が走りかかって押えつける。

三雲の利八は、表口から逃げ出したが、そこに待ちかまえていた三人の黒鍬者が躍りかかり、組み伏せてしまった。

百姓家のあるじは、これも利八一味の盗賊だったが、観念の態《てい》で、おとなしく縄を打たれた。


細川峯太郎が清水門外の役宅へもどって、門番に、

「長官《おかしら》は？」

「まだ、お帰りではありませんよ」

「お見廻りか？」

「いえ、二本榎の細井様へおいでになったとか」

「ふうむ……」

「どうなさいました？」

「何でもない」

細川は蒼《あお》ざめて、門番小屋へ入った。

「どうなすったので？」

「うるさい」

「へ……？」

細川は必死である。

平蔵がもどったら、この場で、いっさいを打ち明けるつもりなのだ。

しばらくして、長谷川平蔵が出て行ったときと同じように騎乗で帰って来た。

そのうしろから、菰《こも》をかぶせた大きな荷物を乗せた荷車を、五人の黒鍬者が引き入れた。

門番の、

「お帰り」

と、呼ばわる声に、酒井・沢田・小柳の三同心が走り寄って来る。

平蔵は、五人の黒鍬者へ、

「苦労であった。しばらく休息いたすように」

と、門番に案内をさせ、同心たちへ、

「荷車の荷物を解け」

「はい」

何事であろうか、と、三同心が菰の上の縄を切りほどいた。

中から転げ落ちたのは、手足を縛された三雲の利八以下五人の盗賊どもである。

細川峯太郎は、目を白黒させ、五体をふるわせて言葉もない。

その細川を、じろりと睨んだ長谷川平蔵が、

「細川。ついてまいれ」

と、いった。

その瞬間、細川峯太郎は意識をうしない、くずれるように敷石の上へ倒れ伏してしまった。

七

長谷川平蔵は、三雲の利八について、かなりのことをわきまえていた。

それというのも、盗賊の〔嘗役《なめやく》〕を長年にわたってつとめていた馬蕗《うまぶき》の利平治《りへいじ》が盗賊改方の密偵になり、三雲の利八その他の旧簑火一味の盗賊について、知っているかぎりのことを平蔵につたえておいたからだ。

利平治は何度も、簑火の喜之助のためにはたらいたことがある。

三雲の利八の人相書《にんそうがき》もできているし、細川峯太郎は探索方へまわされたとき、他の人相書と共に、利八のそれも目に入れたはずだ。

当初、細川は人相書でおぼえていた鳥羽の彦蔵を発見し、手柄を立てたわけだが、今度は、眼鏡師の家から出て来た旅姿の町人を見ても、それが三雲の利八だとは気づかな

かった。

ところが長谷川平蔵は、細川が尾行しているらしい町人の先へまわり、木蔭に馬を止め、身を伏せるようにして、向うの道を歩む利八の横顔をたしかめた。

ちょうど、そのとき、利八が菅笠をあげ、顔の汗をふいたものだから、

(うむ、まさに、あれは三雲の利八じゃ)

と、直感したのであった。

それからの平蔵は、細川とは別の行動をとり、利八が渋谷川沿いの百姓家へ入るのを見とどけるや、すぐさま、黒鍬組の組屋敷へ馬を飛ばし、人数を借り出したのだ。

細川峯太郎は恐れ入って、何も彼《か》も長官に白状をした。

「お前は、あの町人を三雲の利八と知っていたのであろうな」

「いえ、存じませぬ」

「人相書を見ておかなんだのか?」

「見ましたなれど、つい……」

「つい……どうした?」

「おもい出せませず……」

「おろか者め!!」

「ははっ……」

ひれ伏したきり、顔もあげられぬ細川を、平蔵は、あまりくどくは咎《とが》めなかった。

目黒の、お長の茶店についても、細川はすべてを告げたのだが、格別に咎めようとはせぬ。

それがまた、細川には不気味なのだ。

最後に、平蔵は、こういった。

「おのれは明日より勘定方へもどれ。おのれのような未練がましい男に探索方はつとまらぬ」

未練がましい……とは、すなわち、細川がいまも、お長への関心を絶ち切れぬことを指したものにちがいない。

「いったい、何事があったのじゃ？」

前任者の細川に替って勘定方をつとめているのは、細川の妻お幸の父・伊藤清兵衛だ。

娘聟《むこ》の細川峯太郎が、またしても勘定方へもどされることを、悄然《しょうぜん》として告げたので、清兵衛はおどろき、

「何ぞ、失敗《しくじり》でもあったのか？」

「ま、そのような……」

「どのような？」

「尋かないで下さい」

細川は、泪《なみだ》ぐんでいる。

長谷川平蔵は、三雲の利八以下を捕えた夜から、無人となった渋谷の百姓家へ沢田小《さわだこ》

平次《へいじ》以下五名を張り込ませた。

同時に、捕えた利八たちを拷問《ごうもん》にかけて責《せ》めたて、深川の盗人宿の所在を白状させた。

こうして、三雲の利八一味の盗賊どもを、すべて捕えることができたのである。

眼鏡師の家へも手配し、下男の五助と弟子の杉太郎を役宅へ連行すると共に、家の中をくまなく捜査したが、手がかりになるものは何一つなかった。

五助と杉太郎は、平蔵みずから取り調べたが、この二人の嫌疑は間もなくはれたので、平蔵は五助に、

「よければ、役宅ではたらいてみぬか」

と、すすめ、よろこんだ五助を引き取ってやることにした。

杉太郎については、

「よい眼鏡師の許へ、世話をしてつかわそう」

平蔵は、加賀町に住む眼鏡師・村松与兵衛《むらまつよへえ》に口をきいてやり、杉太郎を引き取ってもらった。

行方知れずとなった市兵衛の手がかりは、まったくつかめなかった。

それから約半年が過ぎて、この年も暮れようとする或日の午後のことであったが……。

目黒の権之助坂上の、お長の茶店の前を通りかかった旅姿の町人が、となりの家が、以前のように小間物屋となっているのに気づいて、

（おお……瀬川の友さんは、無事《ぶじ》だったのか……）

おもわず菅笠をぬぎ、店先へ歩み寄って、

「もし……もし、ごめんなさいよ」

と、声をかけた。

眼鏡師の市兵衛が、半年ぶりに、江戸へもどって来たのである。

「はい、ただいま」

こたえて、奥からあらわれたのは、瀬川の友次郎の女房おきぬではない。

盗賊改方の女密偵おまさであったが、もとより、市兵衛はそれと知るよしもない。

「あの……」

いいさして、市兵衛は口ごもった。

（この女は、おきぬさんじゃあない。そうすると、この店は……？）

咄嗟《とっさ》に、市兵衛はのみこめなかった。

すると、おまさが微笑して、

「眼鏡師の市兵衛さんでございますね？」

「え……いや、あの……」

「ま、お入り下さいまし。瀬川の友次郎さんのことで、申しあげることがございます」

「え……」

「さ、どうぞ。おあがり下さいまし」

おまさの、あくまでも明るい微笑と、たたみこむような気魄《きはく》にひきこまれた市兵衛が店の奥へ入ると、おまさは茶の仕度にかかった。

「あの、もし……」

「はい？」

「お前さんは、友次郎さんの、お知り合いなので？」

「ええ、まあ……」

「友次郎さんは、いま、どこに？」

「いまはもう、この世にはいませんよ」

「げえっ……」

おどろいた市兵衛は、台所のほうから、いつの間にか部屋へ入って来た男に気づいた。

この男、大滝《おおたき》の五郎蔵《ごろぞう》である。

同時に……。

これは裏口から出て、表の店先へまわって来た浪人者がひとり。

これは、長谷川平蔵お気に入りの浪人剣客・高橋勇次郎だ。

はっとなって市兵衛は腰を浮かしかけたが、こうなっては到底、逃げきれるものではなかった。

大滝の五郎蔵が、しずかに、

「市兵衛さん。私たちは盗賊改方のものだ。おとなしく御縄にかかって下せえ」

「な、何だと……」

「悪いようにはしねえ。長谷川平蔵様のおいいつけで、ここで半年、お前さんがあらわれるのを待っていた甲斐があった」

「ち、畜生……」

市兵衛は呻《うめ》いた。

そして観念の眼《まなこ》を閉じ、うなだれてしまった。

眼鏡師の市兵衛が、盗賊改方の密偵のひとりになったのは、それから半年後のことであった。

顔《かお》

一

　そのとき、火付盗賊改方の長官・長谷川平蔵は、芝の高輪にある太子堂へ参詣《さんけい》をし、表門から高輪の通りへ出たところであった。

　通りの向うには茶店がたちならんでい、その背後には、高輪の海（江戸湾）が午後の日ざしに光っている。

　太子堂の門を出て歩み出しつつ、何気もなく通りの向うを見やった平蔵が、

（あっ……）

　塗笠の内で、驚愕《きょうがく》の目をみはった。

（あれは、井上惣助《そうすけ》の亡霊《ぼうれい》ではないのか……）

一瞬、そうおもったほどだ。

あれから二十数年の歳月が経過しているのだから、平蔵も井上も、それぞれに変貌をとげているにちがいない。

けれども、本所の高杉道場へ毎日のように通いつめ、年少のころから共に剣術の修行をした井上の顔を長谷川平蔵が見誤るはずはない。

(井上が生きていた……)

このことである。

おもいもかけなかった。

先日も、同じ高杉道場の剣友・岸井左馬之助《きしいさまのすけ》が役宅へあそびに来て、酒を酌みかわしたときも、

「井上惣助が生きてあれば、どれほどの手足《てだ》りになっていたことか……」

「惜しい男を死なせてしまったものよ」

「なあ、平蔵さん。高杉先生は、いつであったか、私にこういわれたことがある」

「何と？」

「井上惣助が家を継ぐ身でなかったら、わしが養子にもらい受け、道場をゆずりわたしたいと、かように申されてな」

「初耳だな、それは……ふうむ、そうか。先生が、さようにおもわれたのは、もっとものことじゃ」

後に高杉道場の〔竜虎《りゅうこ》〕などとよばれた平蔵と左馬之助よりも、井上惣助は、

「別格の剣士」

と、いってよかった。

井上は、二十数年前に腹を切って死んだ。

いや、死んだものとばかり、平蔵も左馬之助もおもいこんでいた。

井上惣助の屋敷は、大川橋（吾妻橋《あづまばし》）の東詰に近い北本所にあり、土地《ところ》の人びとも、彼の死を疑ってはいまい。

もっとも、井上は公儀の罪を受けて切腹し、二百五十石の家も取り潰《つぶ》されてしまったのだから、葬式を出すこともなく、したがって長谷川平蔵も岸井左馬之助も、井上の死顔を見たわけではない。

ないが、しかし、

（このような事が、あろうとは……）

およそ、考えられぬことだ。

幕府の役人たちが、井上の切腹を見とどけているはずなのである。

茶店から出て、晴れあがった空を仰いだ井上惣助は、白いものがまじり、薄くなった髪の上へ菅笠を乗せ、ゆっくりと品川の方へ歩みはじめた。

われ知らず、平蔵は井上の後を尾《つ》けはじめている。

長谷川平蔵は例によって、市中見廻りの浪人姿。

井上惣助は洗いざらしの単衣《ひとえ》の着ながしで、竹の杖をついていた。腰には短刀一つ帯びていない。どう見ても、町人そのものであった。

井上は、平蔵よりも年上であるはずだが、それにしても老《ふ》け込んでしまったものだ。

茶店から出て来たときの、井上の顔は深い皺《しわ》にきざまれ、足の運びにもおとろえが見える。

高輪の海は凪《な》ぎわたっていた。

海上に浮かぶ諸々《もろもろ》の舟の白帆が、ゆったりとうごいている。


この日。

長谷川平蔵は、

（久しぶりに、品川のあたりを廻ってみようか……）

おもいたって町駕籠《かご》をよび、朝のうちに清水門外の役宅を出た。

品川は、江戸から東海道を京へのぼる第一駅だ。

品川宿《じゅく》で駕籠を出た平蔵は、歩行《かち》新宿《しんじゅく》三丁目の、水茶屋や荒物屋、質屋などの店々がたちならぶ一角にある煮売り屋の富五郎《とみごろう》を訪ねた。

富五郎は、むかし、長らくお上の御用をつとめた男で、いまは六十をこえ、養子夫婦と煮売り屋になっている。

「二度と、危ねえ橋はわたらねえよ」

と、養子夫婦にもそういっている富五郎なのだが、そこは何かにつけて、江戸の御用聞きのちからにもなってやるし、盗賊改方も、あの〔雲竜剣〕事件では、富五郎の家に見張り所を設けたほどだ。

「これはこれは、長谷川様。何ぞ、また……?」

「今日は、久しぶりで、ぶらりと出てまいったのじゃ」

奥の部屋へ腰を落ちつけた長谷川平蔵が、

「富五郎、店に出ている焼豆腐の煮たのがうまそうじゃ。それと酒をたのむ」

「恐れ入りましてございます。あんなものが、お口へ入りますかどうか……」

「なあに、わしの口なぞは品川の犬猫の舌よりも劣《おと》っている。焼豆腐なぞ、もったいないほどだわ」

「御冗談をおっしゃいます」

「何の冗談なものか。二本差しの舌なぞは、しごく他愛《たわい》がないものよ」

で、焼豆腐に茶わん酒をやりながら、平蔵は、ちかごろの品川宿の様子を富五郎から聞き取った。

それから、其処此処《そここ》を見まわり、また富五郎の家へもどって来て遅い昼餉《ひるげ》をしたため、ゆっくりと休んだのち、

「御駕籠を、よんでまいりましょう」

という富五郎へ、

「それにはおよばぬ」

平蔵は、徒歩で帰途についた。

品川から高輪へ出て、太子堂へ参詣をしたのは、亡父・長谷川宣雄《のぶお》の供をして、少年のころに一度、太子堂へ来たことがあるのをおもい出したからだ。

太子堂は、常照寺《じょうしょうじ》という寺の境内にあり、聖徳太子の像を祀《まつ》ってある。

参詣をすませ、あたりの様子が三十年前と少しも変っていないものだから、しばし平蔵は、なつかしげに境内を歩み、庚申堂《こうしん》へも手を合わせ、亡き父を偲《しの》んだ。

そうして門を出たとたんに井上惣助を見たのである。

晴天の午後の高輪の通りゆえ、行き交う人も少くなかったが、もしも平蔵が塗笠をかぶっていなかったら、井上のほうでも平蔵に気づいたろう。

さいわいに、井上の歩みはゆっくりしていたし、往来の人びとにまぎれての尾行ゆえ、さして骨は折れなかった。

あれから井上も苦労を重ねたのか、躰の肉が落ちて細く小さくなっている。もしも、この後姿だけを見たのみなら、いかな平蔵でも井上惣助と気づかなかったろう。

井上は、品川宿へ入って行く。

(このあたりに、住み暮していたのか……)

笠をかぶっていたが、井上は旅姿をしているわけではない。

煮売り屋の富五郎の店の前を、井上が通り過ぎて行った。

つづいて平蔵が店の前へあらわれたので、店先に出ていた富五郎が、

「どうなさいました？」

何気ない態《てい》で低く声をかけてよこしたのは、さすがであった。

「うむ。向うへ行く老人な、杖をついている……」

「はい」

「あの老人の後を尾けているのじゃ」

「さようで……」

「たがいに顔を見知っているので、骨が折れるわ」

笠の内からこういって、ふたたび歩み出そうとする長谷川平蔵へ富五郎が、

「ようございます。私が尾けてめえります」

と、いった。

いったかとおもうと、もう歩み出しながら、

「中で、お待ち下さいまし」

「さようか……」

「おまかせ下さいまし」

「では、たのむ」

井上惣助の尾行をはじめた富五郎の、堂に入った後姿を見て、

(これなら、心配はあるまい)

平蔵は、ひとり、うなずいた。

二

二十数年前に、井上惣助が切腹したと聞いたときは、

「いったい、何事があったのだ？」

「わからぬ」

長谷川平蔵も岸井左馬之助も、突然の異変におどろくばかりだったし、師の高杉銀平も、

「何もわからぬ」

哀しげに、つぶやいた。

井上は、そのころ、すでに家督《かとく》をしており、無役《むやく》ながら二百五十石の旗本であった。

罪を受けての切腹というのだから、その家が取り潰されたのはいうまでもなく、したがって、奉公人も散り散りに何処《どこ》かへ去ってしまった。

井上の親類たちも関わり合うことをおそれ、寄りつかなかったらしい。

不幸中の幸いだったのは、井上惣助に、まだ妻子がなかったことで、両親も相ついで病歿《びょうぼつ》しており、また、井上には弟も妹もなかったので、家族を悲しませることはなかった。

そのうちに……。

本当か嘘か知らぬが、本所界隈《かいわい》に、うわさがひろまりはじめた。

井上惣助が切腹したのは、浅草田圃《たんぼ》で三人の侍を斬って捨てたからだという。

その三人の侍は、加賀・金沢百万石余の太守・前田宰相《さいしょう》の家来たちだったものだから、事が大きくなった。

井上は三人を斬殺したのち、いさぎよく、お上へ名乗り出て、評定所の裁きを受けた。

これは先ず、たしかな事とみてよい。

それにしても何故、井上が前田家の家来と争ったのか、その原因がわからぬ。

切腹をさせられたのだから、井上に非があったのか。

または、前田家から幕府へ厳重な抗議でもあったのか……。

何といっても、相手は百万石の大名である。

評定所の調べと裁決は数日のうちに終り、井上はすぐさま切腹したことになっている。

事件の内容は秘密のまま、今日に至った。

井上惣助は酒を好みはしたが、酒に酔って喧嘩《けんか》をするような男ではない。

あるとき、両国の盛り場で、井上が酔った浪人にからまれているのを、長谷川平蔵は目撃したことがある。

浪人は、井上へ罵声《ばせい》をあびせ、顔へ痰《たん》を吐《は》きかけた。

そのとき井上惣助は、しずかに懐紙を出して痰をぬぐい、すこしも逆《さか》らわずに去って行った。

何でも、井上の刀の鞘《さや》が浪人の躰にふれたとかいって難癖をつけられたものらしい。

(何だ、井上さんのだらしのねえ)

と、当時は「本所の銕《てつ》」などとよばれ、無頼《ぶらい》の仲間とも手が切れていなかった長谷川平蔵だけに、無抵抗の井上が物足りなく、たまりかねて件《くだん》の浪人をつかまえ、

「おのれの口から、二度と痰が出ねえようにしてやる」

投げ飛ばして馬乗りになり、脇差を引きぬき、その柄頭《つかがしら》で浪人の歯を何本か叩き折ってしまったものだ。

三十がらみの肥満体の浪人が口を血だらけにして、

「お助け下さい。お助け……」

ひいひい言いながら、若い平蔵にあやまった姿を、いまもおぼえている。

どこかで喧嘩でもして受けた傷でもあろうか、その浪人の左の頰から顎《あご》にかけて刀痕が一すじ刻まれていた。

平蔵が、このことを道場へ行って師の高杉銀平に告げるや、

「ほう……さようか」

高杉銀平は莞爾《かんじ》として、

「井上も、ついに本物になったようじゃ」

と、いわれた。

そのときの平蔵は、師の言葉の意味がわからなかったけれども、やがて、わかった。

自分が亡父の跡を継ぎ、剣士としてもさらに上達すると、井上惣助が無益な喧嘩を避けた態度が、

(なるほど、立派な……)

と、わかってきたのである。

それほどの井上が、大名の家来たちと斬り合ったのは、

(よほどの事情《わけ》があった……)

に相違ない。

けれども、その事情は、いまもってわからぬ。

わからぬのみか、腹を切って死んだはずの井上が二十数年後の今日、忽然《こつぜん》と、わが目の前にあらわれようとは……。

これは、平蔵が盗賊改方の長官ならずとも、

(捨ててはおけぬ……)

ことであった。

煮売り屋の奥の部屋で、富五郎が帰るのを待ちながら、長谷川平蔵は落ちつかなかった。

(井上さんは、いま、何をしているのであろうか?)

このことである。

幕府《こうぎ》は、井上を切腹させたことにして、一命のみは助けた。

となれば、一命を助けるだけの理由があったのだ。そうとしかおもわれぬではないか。

では、

（その理由とは、何であったのか……？）

井上惣助は道場に立って木太刀を構えるとき、別人のようになったが、平常は物静かで無口ゆえ、どちらかといえば乱暴者だった平蔵や左馬之助と親しくつき合っていたわけではない。

「ふん。妙に気取って嫌なやつだ」

などと、岸井左馬之助なぞは、むしろ吐き捨てるようにいったし、平蔵も井上の人柄を好んではいなかった。

なればこそ、高杉先生に、

「井上さんが、あのような酔いどれ浪人に恥をかかされたのでは、当道場の名折れになります」

などと、告口《つげぐち》をしたのだ。

そのときの自分をかえりみるとき、平蔵は冷汗が滲《にじ》む。

「長谷川様。お待たせをいたしました」

と、煮売り屋の富五郎がもどってきたのは、半刻《はんとき》（一時間）ほどしてからであった。

「おお、苦労をかけたな」

「とんでもございません」

「して、居所がわかったのか？」

「はい」

「そうか」

おもわず立ちあがった平蔵へ、富五郎が、

「ここからも遠くはございません。南品川の品川寺《ほんせんじ》の向うの裏道の小さな家へ入って行きましてございます」

「何か、商《あきな》いでもしているのか？」

「いえ、何もしてはおりませんが、近くで当ってみましたところ、どこかの隠居だとかいう年寄りが、去年のいまごろから住み暮しているそうなので……」

「ふうむ。独りきりで、な……」

「はい。近所の人たちは、そうべえさんとよんでおりますようで」

「何、そうべえ……」

惣兵衛か宗兵衛かは知らぬが、井上惣助の変名として、うなずけぬことはない。

長谷川平蔵は腕を組み、黙念となったが、ややあって、

「富五郎。すまぬが茶わん酒を、もう一杯くれぬか」

と、いった。

三

品川の宿外《しゅくはず》れに近い南品川の、海照山《かいしょうざん》・品川寺は真言宗の寺で、京都の三宝院《さんぼういん》に属し、本尊は観世音菩薩《かんぜおんぼさつ》という。

近くには妙国寺・海晏寺《かいあんじ》などの大刹《たいさつ》があるので、品川の海を東にのぞむ東海道の両側は各寺の門前町となってい、茶店や店屋が軒をつらねている。

品川寺の本堂は瓦ぶきの堂々たるものだが、門も、境内の薬師堂や稲荷堂、方丈なども藁屋根で、松林を背にした寺内のおもむきは簡素で清らかだ。

品川寺の南どなりに、海雲寺という小さな寺がある。

この寺の境内にある千体荒神堂《せんたいこうじん》は、

「霊験《れいげん》あらたか……」

だというので、参詣の人びとが絶えぬ。

品川寺と海雲寺の間には茶店や土産物屋が数軒たちならび、東海道に面していた。

町家は一側《ひとかわ》だけでなく、細道を入って行くと裏側にも、小さな家が五軒ほどある。

こうした場所の家々は店屋ではない。

品川宿の店屋や、妓楼《ぎろう》の隠居所などが多いそうな。

井上惣助が住んでいるらしい家は、品川寺の鐘撞《かねつき》堂の南側の木立に接したところにあって、小さいながらも中二階がついている。

品川寺の境内との境には塀も垣根もないので、鐘撞堂のうしろからも家の前へ出られる。

富五郎が尾行したとき、井上惣助は品川寺の境内から家へ入って行った。

表通りは東海道で店屋も多く、したがって人通りも少くない。

井上は、その人の目を、

(避けている……)

と、看てよいのではないか。

「私も、お供を……」

富五郎がそういうのへ、

「いや、たのむことがあらば、また、もどって来る。それまでは躰をやすめていてくれ」

長谷川平蔵は、そういって、煮売り屋を出た。

日が、かたむきはじめていた。

だが、梅雨に入る前の空は明るい。暮六つになっても提灯《ちょうちん》はいらなかった。

暮れ六つには、まだ一刻(二時間)ほど間がある。

塗笠をかぶった平蔵は、先ず、品川寺の境内へ入ってみた。

微風が、品川の海から汐の香りを運んできた。

鐘撞堂のうしろの木立を抜け、平蔵は井上惣助の家の前を通り過ぎた。

戸も、中二階の窓の障子も閉ざされている。

家の中に、まるで人の気配もないようだ。

細道をぬけ、東海道へ出た平蔵は、最寄りの茶店へかけて、

「麦茶をくれ」

「へい、ただいま」

老婆は、すぐに冷えた麦茶を運んで来た。

街道に旅人の姿が増えてきはじめている。

夕暮れが近くなると、東海道をのぼって来る旅人で、品川宿が混み合うのは、当然であった。

平蔵がいる茶店の前を、浪人がひとり、通り過ぎて行った。

三十がらみの精悍《せいかん》な躰つきで、顔は菅笠に隠れている。

茶店の奥の腰かけにいて、店の前を通り過ぎる旅人たちを何気もなくながめやっていた平蔵の目が、その浪人をとらえたのは他意あってのことではない。

(あの浪人、かなり、修行をつんでいる……)

と、看たからだ。

浪人の、武芸にきたえられた体軀が、平蔵の目にとまったにすぎない。

平蔵は、すぐに忘れた。

そして麦茶のおかわりをした。

(さて、どうしたらよいものか？)

よくよく考えてみると、いまここで、

「長谷川平蔵です」
名乗って、井上惣助の前へあらわれたところで、
（何ということもないではないか……）
なのである。
同じ高杉門下の剣友といっても、岸井左馬之助のように親しい間柄ではない。
稽古のとき、井上の鋭い木太刀に打ち据えられたおもい出があるだけだ。
幕府は、たしかに、井上の切腹を公表し、家を取り潰した。
その井上が生きているということは、幕府が井上の一命を助けたのだ。
それを、二十余年も後のいまになって、
（わしが穿《ほじく》り出したところで、はじまるものか……）
であった。
「やれやれ……」
つぶやいて、長谷川平蔵は立ち上がり、茶代を置いて外へ出た。
それよりすこし前に、煮売り屋の富五郎が、
「おい。ちょいと、長谷川様の様子を見てくるぜ」
養子夫婦にいいおいて、歩行新宿三丁目の家を出ている。
平蔵の身を案じてのことではない。
（何か、お手つだいができることなら……）

と、おもったまでだ。

こうなると、お上の御用をつとめていたころの血が、老いた富五郎の躰の内にさわぎ出したのやも知れぬ。

平蔵が茶店を出たとき、富五郎は北品川一丁目から目黒川へ架けられた橋をわたり、南品川一丁目へさしかかっていた。

もとより平蔵は、それを知らぬ。

何とはなしに疲れをおぼえて、

（そうだ。富五郎のところへ立ち寄り、駕籠をよんでもらおう）

平蔵は、品川寺の前を通りぬけようとした。

東海道に面して、品川寺の黒い板塀がのびてい、中央に大きな冠木門《かぶきもん》がある。

その内側は広場になっていて、左寄りに六地蔵が安置されており、この広場の向うに寺の山門があった。

街道に面した冠木門の前を通りぬけながら、長谷川平蔵がひょいと見ると、六地蔵の前で三人の男が立ちばなしをしていた。

その中の一人は、先刻、茶店の前を通り過ぎて行った筋骨たくましい浪人であった。

これを左右からはさみ込むようにして、何かささやいている二人は、どこにも見かけるような町人である。

冠木門の前を通り過ぎてから、

（はて……？）

平蔵は、足をとめた。

ちらりと見ただけだが、三人の男たちの様子が気にかかった。

浪人は、こちらに背を向けていたが、その肩ごしに見えた町人の顔が何となく殺気立っているように感じた。

平蔵は冠木門へ身を寄せ、そっと広場の中をのぞいた。

六地蔵の前をはなれた三人が、品川寺の山門から境内へ入って行く後姿を平蔵は見た。

その後姿にも、異様な気配があった。

するどい平蔵の勘のはたらきは、これを見のがさぬ。

（妙じゃな、あの三人……）

この時刻に、あの三人が寺の境内へ入って行くのは、平蔵にしてみれば、

（どうも、気に入らぬ）

ことになる。

するりと、長谷川平蔵は冠木門から広場へ入った。

四

広場を横切った平蔵が品川寺の山門の蔭から境内を窺《うかが》うと、浪人が鐘撞堂のあたりに立っている。

その傍に町人がひとり。

もう一人の町人の姿が消えてしまっているではないか。

浪人と町人は木立の向うに見入っているようだ。

境内には、他に人影はない。

彼方の稲荷堂のあたりに、黄色い夏菊が咲きみだれており、松林の上の空が赤く染まりかけていた。

(何をしているのであろうか?)

山門の蔭に、平蔵が屈《かが》み込んだとき、木立の中から、もう一人の町人があらわれ、浪人に何かささやいた。

そして、三人とも木立の中へ吸い込まれて行った。

何とはなしに、平蔵の胸がさわいだ。

平蔵は境内へ入り、一気に鐘撞堂まで走った。

三人は、木立の向うの道へ抜けたらしい。

その道へ出れば、井上惣助の住居は目の前にある。

しずかに、長谷川平蔵が木立へ踏み込んで行った。

このとき、浪人と二人の町人は、井上の家の前の道へ出ている。

戸を閉め切った家を、三人が睨《にら》むように見つめた。

「ここか?」

と、浪人。

二人の町人が、うなずいて、

「どうしますね？」

「いま、やっつけましょうか？」

「待て」

と、浪人があたりを見まわした。

平蔵は木立の蔭に身を潜《ひそ》めている。

「殺すのならわけはないが、一応、引っ捕えねばなるまい」

「そりゃそうだ。それでなくては……」

「となると、まだ、明るい」

「やはり、夜になってからのほうが、ようござんすね」

「中に、いるのか？」

「先刻、何処からか、もどって来ましたよ」

してみると、彼らは井上を尾行して来た富五郎には気づかなかったらしい。

実に、このときであった。

突然、家の中二階の窓が開き、井上惣助の顔がのぞいた。

井上は、道に立っている三人を見たらしく、音をたてて窓の障子を閉めた。

道の三人も、これに気づいた。

「あっ、畜生め」

「気づきやあがった……」

「よし。こうなれば……」

と、浪人が体当りに表の戸を打ち破って、

「お前たち、裏へまわれ!!」

と、叫んだ。

二人の町人が裏手へまわったかとおもうと、

「野郎!!」

「逃がすな!!」

喚《わめ》き声がきこえ、裏手から井上惣助が血相を変えて道へ走り出て来た。

井上は、高輪の茶店を出て来たときよりも、ずっと上等の着物を身につけ、白足袋《たび》をはいている。

その足袋跣《はだし》のまま、裏へまわって来た二人の町人を突き飛ばし、道へ逃げて来たのである。

「この畜生め!!」

追いかけて来た一人が井上の背後から組みついた。

木蔭で、長谷川平蔵は目をみはった。

いかに老いたりといえども、井上惣助ならば苦もなく相手を投げ飛ばしているはずだ。

ところが組みつかれた井上は、ただもう必死に踠《もが》くのみなのを見て、平蔵は意外におもった。

浪人が家の中から飛び出して来て、いきなり、踠く井上の鳩尾《みぞおち》のあたりへ拳《こぶし》を突き入れた。

「むうん……」

と、たよりなげに呻いた井上惣助が白い眼をむき出して気を失ってしまった。

これを見て、平蔵はあきれてしまったが、

「待て」

木蔭から道へあらわれるや、

「無頼ども。何をするか!!」

一喝《いっかつ》した。

浪人が凄《すご》い眼で平蔵を見て、

「邪魔すると、ひどい目にあうぞ」

と、いう。

平蔵は苦笑した。

「何を笑う?」

「その年寄りを何とする?」

「だまれ!!」

叫びざま、身をひねった浪人の腰から光芒《こうぼう》が噴《ふ》き出た。

おもいのほかに鋭い刃風《はかぜ》を躱《かわ》した長谷川平蔵へ、

「えい、や!!」

たたみかけて斬りつけて来る浪人と飛びちがいざま、

「盗賊改方・長谷川平蔵じゃ」

まだ、腰の刀へ手をかけぬままに平蔵が名乗った。

平蔵の名を聞いて驚愕《きょうがく》したのは、浪人よりも二人の町人であった。

物もいわずに、二人は細道を表通りの方へ逃げた。

それと擦《す》れちがうようにして、富五郎が駈けつけて来た。

細道を通る人の悲鳴を耳にしたのだ。

「富五郎。いま逃げた二人を追え」

声をかけた平蔵へ、

「うぬ!!」

躰ごとに大刀を突き入れた浪人の足を、身を躱しざまに平蔵が蹴った。

「う……」

よろめいて、飛び退《しさ》った浪人が刀をふりかぶったとき、身を沈めた平蔵が抜き打ちに、
浪人の右足を切り払った。

五

ともかくも、おもいがけぬことになった。

長谷川平蔵の抜き打ちに、右足の膝《ひざ》を切り割られた浪人はむろんのこと、逃げた二人の町人も捕えられた。

むかしは土地《ところ》の御用聞きで鳴らした富五郎だけに、一人は自分の手で捕え、別の一人は、土地《ところ》の人たちが追いかけて捕えた。

この三人は、南品川二丁目と三丁目の境の東側にある自身番所へ引き立てられた。自身番のとなりは、品川の問屋場になっている。

品川を縄張りにしている二人の御用聞きも駈けつけて来た。

ところで……。

井上惣助は、どうしたろう。

井上もまた、気を失っているうちに自身番の奥へ運び込まれ、手当を受けた。

息を吹き返した井上惣助へ、

「もし……もし、井上さん」

長谷川平蔵が傍へ来て、

「私の顔を、よも、お忘れではないでしょうな」

笑いかけた。

　すると、どうだ。

　井上は、きょとんとして平蔵を見返し、

「ど、どなたさまで？」

「わからぬ……？」

「は、はい」

　このとき、はじめて、平蔵は井上の声を耳にしたわけだが、その、しわがれた声音《こわね》にはまったく聴きおぼえがなかった。

（これは……？）

　あらためて平蔵は、ゆっくりと井上の顔を凝視《ぎょうし》した。

　似ている。

　やはり、井上惣助に似ている。

　しかし、声はちがう。

　しかも、言葉づかいがまったくちがうのだ。

　つくり声をしているわけでもなさそうだ。

「私の名は、長谷川平蔵。この名に、おぼえはありませぬか？」

　井上は、顔面蒼白となり、わなわなとふるえ出した。

「おぼえはないか？」

「いえ、あの……」

「あるのか？」

「お名前は、聞きおよんでおりまする」

「何、聞きおよんでいる……？」

「は、はい」

がっくりと面を伏せ、両手をついた井上惣助が、

「恐れ入りましてござります。この上は、逃げも隠れもいたしませぬ」

と、いった。

（これは、どうも、ちがうらしい……）

平蔵も、ようやく納得がゆきかけた。

「名は何と申す？」

声をあらためて尋《き》いた平蔵へ、

「は、はい。嶋田《しまだ》の惣七《そうしち》と申します」

井上が……いや、嶋田の惣七が、そうこたえた。

惣七は「逃げも隠れもせぬ」といった。盗賊改方の長谷川平蔵と知っての上である。

してみると、惣七は盗賊の片割れでもあるのか……。

「嶋田の惣七」

「は、はい」

「そのほうは、二十何年も前に、わしの顔を見たことがあるか、どうじゃ？」

「二十年前……」

いいさして惣七が、かぶりを振り、

「ございませぬ」

はっきりといった。

「顔を、もっとよく見せよ」

「は、はい……」

あらためて見た。似ている。

しかし、いまとなっては、どこか違っているようだ。

平蔵は「井上惣助という人《じん》を知っているか？」と尋ねかけて、やめた。

土間のほうでは、富五郎と御用聞きたちが、捕えた二人の町人を手荒く取り調べている。

半刻（一時間）ほどして、二人は泥を吐きはじめた。

長谷川平蔵が嶋田の惣七を品川の町役人たちに見張らせておき、二人の男の訊問にかかったので、二人とも観念するよりほかはなかった。

これで、二人の男と浪人と、嶋田の惣七との関係があきらかになった。

膝を切り割られた浪人は医者の手当を受けると、両手を縛りつけられ問屋場の物置きへ放り込まれ、町役人が見張っている。

夜が更《ふ》けてから、嶋田の惣七以下四人の盗賊を荷車へ縛りつけ、品川の問屋場の小者たちにこれを運ばせ、二人の御用聞きがつきそい、

「遅くなった」

と、長官が帰って来たものだから、盗賊改方の役宅では当直の与力・同心が飛び出して来て、

「日暮れまでにはもどるとのおおせゆえ、一同、案じておりましたので……」

いいさした与力筆頭の佐嶋忠介の顔に、安堵《あんど》のおもいがあふれていた。

盗賊どもは、牢屋へ押し込められた。

「調べは明日のことじゃ。みなもやすめ」

こういって、長谷川平蔵は入浴をすませ、居間へ佐嶋与力をよび寄せた。

久栄《ひさえ》と侍女が酒肴《しゅこう》の仕度を運び、

「ま、相手をしてくれい」

平蔵は佐嶋へ酌をしてやってから、

「引っ捕えた四人のうち、老爺《おやじ》がいたであろう」

「はい」

「あれはな、嶋田の惣七といって、稲谷《いなたに》の仙右衛門《せんえもん》の片腕だとか軍師だとかいわれた盗賊だそうな」

「さようでございましたか」

稲谷の仙右衛門は、上方で、それと知られた盗賊の首領だ。こやつについては、すでに大坂や京都の町奉行所から盗賊改方へ照会がとどいている。

「ところが、嶋田の惣七は二年ほど前に、頭の仙右衛門と仲たがいをし、仙右衛門の盗人宿から五百何十両もの金を盗み、姿をくらましたのだそうな」

「盗賊が盗賊の金を盗みましたので」

「さようさ」

「これは、稲谷の仙右衛門も捨ててはおけませぬ」

「そのことよ。そこで、嶋田の惣七の行方を探しまわっていたところ、ついに、南品川へ隠れ住んでいることがわかった。あの浪人も仙右衛門一味の者らしい。押し込んで殺してしまう前に、五百何十両の金を取り返さねばならぬ」

「はい」

「そこで夜更けてから押し込むつもりでいたところ、ひょいと惣七が二階の窓を開け、三人の追手の顔を見たものだから、びっくりして裏手から逃げにかかったのじゃ」

「それにしても、よく、嶋田の惣七にお目がとどいたものでございますな」

「ふむ……」

にやりとして、平蔵が、

「どうして目がとどいたのか、それがわかるかな？」

そこで長谷川平蔵が、井上惣助一件について語ると、佐嶋忠介は瞠目《どうもく》して、

「では、他人の空似というわけで……」

「いや、それがな……」

「は……?」

「品川の自身番で、いささか嶋田の惣七の生い立ちを問うてみたのじゃ」

「はい」

嶋田の惣七は、平蔵に、こう洩らした。

「私を生んだ女と申しますのは、若いころ、江戸の何処かの水茶屋で茶汲み女をしていたらしゅうございます。そこへ、よく顔を見せたお侍が、すっかり私の母親を気に入りまして、囲いものにされ、子を産みました」

「それが、お前か」

「はい。何年かして、手切れの金が出て、母親は五つか六つの私をつれ、生まれ在所《ざいしょ》の駿河《するが》の嶋田へ帰りまして……」

東海道・嶋田の宿《しゅく》へ帰った惣七の母親は、間もなく、同じ嶋田の蒲団屋の主人の再婚の相手にえらばれ、惣七を連れ子にして嫁いだという。

ところが、その義父の蒲団屋が惣七を疎《うと》み、虐待《ぎゃくたい》をするものだから、

「どうにもたまらなくなり、十七の年に嶋田を出てしまいました」

と、惣七は語った。

それからの惣七が、盗賊になるまでのいきさつについては、くわしくのべるまでもあるまい。

「母親は、もう生きてはおりますまいが、蒲団屋との間に生まれた、私にとっては腹ちがいの弟が、いまも嶋田で蒲団屋をやっているはずでございますよ」

平蔵が取り寄せてやった茶わん酒を、うまそうにすすりこみつつ、

「母親は、よく、私に申しましたっけ。お前には御旗本の血が入っているのだと、ね……」

「その旗本の名は？」

「母親が、口が裂けてもいえないと申しました。いっては却《かえ》って、お前のためにならないからと……」

「なるほど」

「ですが、私の惣七という名の、惣の一字は、その御旗本の名前の一字を取ったのだそうでございますよ」

「ふうむ……」

「どうも、その、つまらぬことを申しあげてしまいました」

「何の、何の……」

嶋田の惣七は、長谷川平蔵が自分をいたわってくれるので、ふしぎにおもったらしい。

ほかの三人の盗賊には、茶わん酒などあたえられていなかったのである。

「どうじゃ、佐嶋。わかったか？」

「では、やはり……」

「井上惣助の父・井上惣左衛門殿が茶汲み女に生ませた子じゃ。似ているも道理。老《ふ》けてはいても惣七は、惣助の腹ちがいの弟ということになる」

「それでは井上惣助殿の切腹は、本当の事だったのでございますな」

「いかにも」

佐嶋忠介は、深いためいきを吐《つ》いて、

「かようなことも、世の中にはあるものなのでございますなあ」

「ひろいようで、せまいのう」

翌朝から、佐嶋が中心となって、四人の盗賊の調べがはじまった。

こうなると、彼らの首領・稲谷の仙右衛門についての調べに変ったことになる。

嶋田の惣七と、高輪の茶店の関係についても調べがおこなわれよう。

この日は朝から長谷川平蔵、居間に寝そべって煙草を吸ったり、うたた寝をしたりしていたが、昼近くなって、岸井左馬之助が役宅へ訪ねて来た。

「何、左馬が来たと……」

久栄の知らせに、むっくりと半身を起こした平蔵が、

「これは、おもしろくなってきたぞ」

「何が、おもしろいのでございます？」

「うふ、ふふ……」

「ま、いやな笑い様をあそばしますこと」

「早く通せ。ついでに忠吾をよんでくれぬか」

「はい」

間もなく、岸井左馬之助が居間へあらわれ、

「平蔵さん。今日は見廻りをおやすみか。どうも、そんな気がしたので立ち寄りました」

「左馬。よく来てくれた」

「何やら、うれしそうですな」

「そうか、な……」

そこへ、同心・木村忠吾があらわれた。

「およびでございますか」

「忠吾。岸井さんを牢屋へ案内《あない》し、昨夜《ゆうべ》、捕えた嶋田の惣七の顔を見せてあげてくれ」

「はい」

「何です、平蔵さん。その嶋田の惣七というのは……」

「ま、よいから見ておいで」

「わからぬなあ」

妙な顔をして、岸井左馬之助は木村忠吾と共に居間を出て行った。

「うふ、ふふ……」

平蔵は亡父遺愛の銀煙管へ煙草をつめながら、またも笑い出した。

久栄が入って来て眉をひそめ、

「おやめあそばせ」

「ばか笑いと申すのか……」

「そのとおりでございます」

「ま、此処にいるがよい。いまに左馬之助が、蒼い顔をしてもどって来るぞ」

「それは、また……？」

「ま、此処にいなさい。おもしろいぞ」

今日は曇っている。

開け放した奥庭に、白い夏の蝶《ちょう》が、はらはらとたゆたっていた。

風はないが、いかにも涼しい。

やがて、廊下に足音がきこえ、左馬之助が居間へもどってきた。

「平蔵さん……」

「どうした？」

「あれは……あの老人は、もしや……？」

いいさして絶句した岸井左馬之助の顔は、まさしく蒼ざめている。

久栄がびっくりして、平蔵を見た。

長谷川平蔵が、笑い出しながら、

「左馬。おどろいたか……」

と、いった。

怨恨《えんこん》

一

「ねえ、旦那……旦那は、これまでに、人を何人殺《あや》めましたので？」

ゆっくりと団扇《うちわ》をつかいながら、上目遣いにこういったのは細身で小柄な五十がらみの男である。

どこかで、ささやかな店を出している小商人《こあきんど》のような、いかにも物堅そうな風体《ふうてい》で、きっちりと膝《ひざ》もくずさぬ。

「そうだな……」

相手は、問いかけた町人よりひとまわり年下に見える。総髪《そうがみ》をきれいに結いあげた、一見、剣客ふうの男で、身につけているものも上等な物だし、手にしている銀煙管《ぎんぎせる》も煙

草入れも、なかなか凝《こ》ったものだ。

切長の目は、あくまでも細い。眸《ひとみ》が隠れてしまい、まるで盲目のようにおもわれるほどであった。

薄い唇《くち》から煙草のけむりを吐き、

「抱いた女の数と同じよ」

と、男はいった。

男の名を、杉井鎌之助《すぎいかまのすけ》という。

浪人くずれの盗賊だ。

町人のほうも、磯部《いそべ》の万吉《まんきち》といって一人ばたらきの盗賊なのだ。

盗賊がふたり、茶わんの冷酒をのみながら語り合っている。

ここは、千住の小塚原《こづかっぱら》の、飛鳥明神《あすかみようじん》・門前にある茶店の奥座敷で、庭は狭いが垣根の向うに大きな池がひろがっていた。

いまは梅雨の最中《さなか》だが、降りつづいていた雨が今朝から熄《や》んで、池のほとりで水鶏《くいな》が鳴いている。夕暮れも間近かった。

「抱いた女と……？」

「数え切れぬということよ」

「なるほど」

「今夜、泊めてくれるか？」

「かまいませんよ」

「ちょいと、はなしもある」

「ちょうど、私のほうにも、旦那にはなしがあるので」

「ふうん、そうか……」

板戸が開き、身ぎれいにした老婆が茹《ゆ》でた枝豆を笊《ざる》に盛ってあらわれた。

これが磯部の万吉の女房おとらで、何でも万吉より六つ七つは年上だそうな。

板戸の向うは小廊下で、右手に段梯子《だんばしご》があり、中二階の一間へ通じている。

小廊下をへだてて茶店の土間になっているが、この時刻には客もない。

万吉は、おとらに茶店をやらせ、月の間の半分は此処《ここ》に寝泊りをしていた。

おとらは、万吉が盗賊であることをわきまえている。

磯部の万吉といえば……。

今年の春、火付盗賊改方の密偵・大滝の五郎蔵が、

「築地の鉄砲洲のあたりで、万吉を見かけた……」

との情報を得て、女房おまさや小房《こぶさ》の粂八《くめはち》と共に、万吉の行方を探ったが、ついに見つけることができなかった。

その万吉の探索中に、おまさが別の事件へ巻きこまれたいきさつは〔引き込み女〕の一篇にのべておいた。

磯部の万吉についての情報を五郎蔵へながしたのは、これも元盗賊で、いまは足を洗

い、女房も子供もあり、いまは南八丁堀五丁目で煮売り酒屋の亭主におさまっている桑《くわ》原《はら》の喜十《きじゅう》であった。

喜十は、大滝の五郎蔵と昔なじみの間柄で、双方が心をゆるし合っていた。

喜十の存在を、五郎蔵は長官の長谷川平蔵にも告げていない。

その約束があっての上で、喜十は情報をとどけてくれるのだ。

それにまた、長谷川平蔵も、密偵たちの情報網については、口をさしはさまぬ。

「おい、おとら」

磯部の万吉が、枝豆の笊を置いて店へもどりかける女房へ、

「酒をたのむ。それから、もう、店を閉めてしまいねえ」

「そうだねえ」

「それから、行水《ぎょうずい》をしてえな」

「あいよ」

また、雨の音がしはじめた。

万吉が舌打ちをして、

「一年のうちで、いまが、いちばん嫌な季節《とき》だ。長雨で躰《からだ》まで腐ってしまうような……」

と、つぶやいた。

「そうかな。おれはそうでもない」

「へえ、妙なお人だねえ」

「梅雨どきが、性《しょう》に合っているのだろうよ」

「何とまあ……」

「ときに……」

「え？」

「おれに、たのみとは？」

「人ひとり、殺《や》ってもらえませんかね」

「何だ、盗《つと》めのはなしではないのか……」

「それじゃあ、旦那のはなしというのは、盗めのことなので？」

「久しぶりで、どうだ？」

「江戸でかね、旦那……」

「うむ……」

「ようござんす。助《す》けましょう」

「よし。きまった」

「そのかわり、こっちのたのみも……」

「五十両で引き受けてやろう」

「きまりましたね」

「だれを殺るのだ？」

「今里《いまざと》の源蔵《げんぞう》という男ですよ」

「聞いたことがある。盗賊だな？」

「さようで」

「どこにいる？」

「それがさ、以前は、これも盗めをしていた桑原の喜十という老いぼれが、いま、南八丁堀で煮売り酒屋をやっていましてね。そこの二階に、このところ寝起きをしているらしい」

「よくわかったな」

「それがさ。ほれ、いつも私の片腕になってくれる桐生《きりゅう》の友七《ともしち》が、一昨日《おととい》の暮れ方に、湊稲荷《みなといなり》の境内から出て来る今里の源蔵を見かけ、そっと後を尾《つ》けて、源蔵が喜十の煮売り酒屋へ入って行くのを見とどけたのですよ。ええ、もう、それからはちゃんと見張りをつけてあるので。実は今日のうちにも、旦那へ連絡《つなぎ》をつけようと考えていたのですよ」

「おぬしと友七の二人がかりでも討ち取れぬのか？」

「むずかしいねえ、旦那」

「さほどに手強《てごわ》いのか」

「なあに、旦那の手にかかっちゃあ、ひとたまりもありませんがね。何しろ、源蔵ときたら……」

いいさして、磯部の万吉は唇をかみしめ、

「油断も隙《すき》もねえやつなので」

「なるほど」

「では、たのみましたぜ」

「源蔵を、何故、殺すのだ？」

「弟の敵討ちでござんすよ」

呻《うめ》くようにいった万吉が、急に、薄暗い顔つきになった。

「ほう……そんなことがあったのか」

うなずく万吉へ、杉井鎌之助が、

「ときに、おれのはなしだが、乗ってくれるか？」

「どんな……？」

「芝の宇田川町《うだがわちょう》の薬種屋《やくしゅや》・小守忠兵衛《こもりちゅうべえ》方へ押し込む」

「あ……痔《じ》の妙薬で評判の……」

「店がまえは小さいが、金蔵《かねぐら》の重味《おもみ》は相当なものよ」

「ようござんす。そのかわり、こっちのたのみが先ですぜ。でねえと、いつなんどき、弟の敵め、姿を暗《くら》ましてしまうかも知れねえ」

「手引きをしてくれるのだろうな」

「いうまでもねえことだ」

二

夜が更《ふ》けて、雨は激しくなった。

南八丁堀五丁目の、京橋川へ架かる中ノ橋の袂《たもと》に〔信濃屋〕という煮売り酒屋がある。

そこが、元盗賊・桑原の喜十の店であった。

喜十は五十七歳だが、盗めの泥沼から足を抜いたのが十年ほど前のことで、それからもらった女房だけに二十近くも年下だし、ひとりむすめのお光も七つになったばかりだ。

その女房も子も、いまは奥の寝部屋で眠っている。

店を閉めた後で、喜十は、

「源蔵さん。ちょいと、降りて来なさらねえか」

一日中、中二階の小部屋に引きこもっている今里の源蔵へ声をかけた。

そして酒肴《しゅこう》の仕度をし、降りて来た源蔵と、店の入れ込みの片隅で飲みはじめたのである。

今里の源蔵は、

(たしか、五十を一つ二つ越えているはず……)

と、喜十は看《み》ている。

盗賊の世界では、古いつきあいの二人なのだ。

段梯子を音もたてずに降りて来た源蔵は、一月ほど前に、

「少し、躰を壊してしまってね。十日ほど休ませてもらえまいか」

こういって信濃屋へあらわれたときよりは、いくらか血色もよくなり、足の運びもしっかりしてきて、このところ、日に一度は、近くの湊稲荷へ「足ならしだよ」と、参詣にも行けるようになった。

源蔵は、世話になるからといって金二十両を喜十へ出したが、喜十は受けつけなかった。

足を洗って、この煮売り酒屋の亭主になったとき、

「何よりのことだ」

と、源蔵は惜しげもなく三十両もの大金を祝いに出してくれた。

こうしたわけで、

「迷惑をかけねえ……」

ようにして、江戸へ来るたび、源蔵が信濃屋に顔を見せても、喜十は嫌な顔ひとつしたことがない。

したがって今里の源蔵のことを、喜十は大滝の五郎蔵へも密告をしていなかった。

喜十の女房おときは、亭主の前身を知らぬ。

源蔵は、喜十と知り合いの旅商人ということにしてあった。

「喜十どん。二、三日うちには江戸を発とうとおもう」

「急だね、源蔵さん」

「そうでもない。十日が一月になってしまい、相すまねえことだ」

「そんなことよりも、お前さんの躰だ。ほんとうに大丈夫なのかえ？」

「うむ。ともかくも行かなくてはならない」

「お盗めかね？」

「まあ、な……」

「どこへ？」

「大坂なのだ」

こういって、源蔵は盃《さかずき》の酒を口にふくむ。

喜十もそうだったが、源蔵も、むかしから一人ばたらきの盗賊であった。

「どこの、お頭《かしら》のお盗めを助《す》けるのだね？」

「そんなことを、足を洗ったお前が尋《き》くものではない……などといいながら、こうして、おれが面倒をかけていりゃあ、世話はねえ」

「また、それをいいなさる」

「なあ、喜十どん……」

「え？」

「ちかごろは、しっかりしたお頭が少くなってしまい、助けるのにも骨が折れる」

「そうらしいねえ」

「しばらく、お目にかからねえが、ほれ、お前といっしょに二度ばかり助けた大滝の五

郎蔵お頭はどうしていなさるだろう。あんなお頭は、めったにいねえ。会いたいものだが、さっぱりと消息を聞かねえのだ」

「……」

「お前、知っていないか、五郎蔵お頭のことを……」

喜十は目を伏せ、かぶりを振った。

「そうだったな。いまは堅気《かたぎ》のお前が知るわけもないはずだ」

喜十へ酌をしてやりながら、今里の源蔵は吐息をついて、

「ちかごろの盗めは、血を見ることが少くねえ。まったく、嫌になる」

ちからなく、つぶやいた。

その大滝の五郎蔵が、ひょいと信濃屋へ顔を見せたのは、翌日の八ツ（午後二時）ごろであった。

そのとき、今里の源蔵は中二階の小部屋で寝床に横たわっていた。

昼ごろから、また熱が出て、喜十の女房に薬を買ってきてもらい、

「なあに、大したことじゃあない」

苦笑を洩《も》らし、寝床へ入ったのだ。

番傘をすぼめて、店へ入って来た大滝の五郎蔵は、

「酒を、ね」

と、喜十へ笑いかけた。

「へい」

こたえた喜十の顔が、微《かす》かに緊張したのを五郎蔵は見逃さなかったけれども、気振《けぶ》りにも見せぬ。

昼どきの、飯を食べる客たちの混雑が終った後の店だけに、客は五郎蔵一人だ。

五郎蔵は、此処へ来るとき、いつも、この時刻をえらぶ。

酒を運んで来た喜十へ、五郎蔵がささやいた。

「何か、聞いておくことはないかえ？」

喜十は、強くかぶりを振った。

「その後、磯部の万吉を見かけなかったかえ？」

「へえ……」

「そうか……」

「このところ、何も、目にも耳にも入って来ませんよ」

「ふむ……」

喜十に何か密告することがあるときは、二人して外へ出てはなす。

だから、喜十の女房は、五郎蔵がときたま顔を見せる客にすぎないとおもい込んでいる。

大滝の五郎蔵は半刻ほどして信濃屋を出た。

外へ出たときの五郎蔵は、早くも番傘に顔を隠している。

傘の中の顔に疑念が浮いて出た。

(今日の喜十は、どうも妙な……何か隠しているにちげえねえ)

雨の中ノ橋を本八丁堀の方へわたりながら、五郎蔵は信濃屋を振り返って見た。

そして、その戸障子の透間《すきま》から、喜十が、遠ざかる自分の背中を、見つめているような気がした。

まさに、喜十は戸障子の透間から、ひそかに大滝の五郎蔵を見送っていたのだ。

五郎蔵の姿が中ノ橋を渡って見えなくなると、喜十は、嘆息を洩らし、微かにくびを振った。

このとき……。

信濃屋から出て行く五郎蔵を見送った者が、もう一人いる。

南八丁堀は、一、二、三丁目から、五丁目へ飛び、四丁目がない。

その三丁目の角地の、つまり五丁目の信濃屋とは道をへだてて〔山重《やまじゆう》〕という小ぎれいな宿屋があり、その二階の窓の障子を細目に開け、信濃屋への出入りに目をつけていた男が、五郎蔵を見ていた。

この男が、磯部の万吉にたのまれ、信濃屋を見張っている桐生の友七であった。

友七は、五郎蔵の姿を見ても顔は見ていない。五郎蔵の顔が番傘に隠れていたからだ。

(だれが見ているやも知れねえ)

そうおもって、五郎蔵は信濃屋の出入りは気をくばっている。晴れた日なら菅笠をつ

かうこともあるし、手ぬぐいで頰かむりをすることもある。

(おれはいいが、喜十に迷惑をかけてはならねえ)

このことであった。

ゆえに、桐生の友七は、五郎蔵を見送りはしたが、

(先刻《さっき》の客が出て来た……)

としか、おもっていない。

(それにしても、いつまで見張っていりゃあいいのだ。万吉どんも殺生な……)

この〔山重〕という宿屋は、二年ほど前から友七が時折は泊っていただけに、信濃屋を見張るには、まったく好都合なのだ。

だが、毎日、自分ひとりが目をはなさずにいるのは、たまったものではない。

梅雨どきで、

「商いの用が、はかどりませんよ」

と、宿屋の者たちへはいってあるが、便所へ行くにも、

(その間に、今里の源蔵が出て来たら……)

そうおもうと、気が気ではない。

三十を二つ三つ越えた桐生の友七は、どちらかというと気が短い。

「もし、旦那……」

宿の女中が小廊下から、

「上州屋さんが、お見えになりました」

「そうか。すぐに、お通ししておくれ」

上州屋というのは、磯部の万吉のことだ。

万吉は、きっちりと袴《はかま》をつけた杉井鎌之助と共に座敷へ入って来た。

杉井も、なかなか立派な風采で、どこかで道場の一つも構えているように見える。

「友七。こちらが杉井の旦那だ」

「こりゃあ、どうも……」

「どんなぐあいだ?」

「今日は、まだ出て来ません。昨日は暮れ方に湊稲荷へ行きましたが、すぐに信濃屋へもどりましたよ」

「そうか……」

杉井が、

「どれ!」

と、障子へ顔を寄せた。

「煮売り酒屋と申しても、土地柄、小ぎれいなものだな」

「へえ……」

「あそこの二階にいるのか?」

「さようで」

こたえた友七が万吉へ、

「磯部の。今里の源蔵は、どうも病んでいるらしい」

「ほんとうか？」

「昨日も後を尾けて見たが、やっぱり足許がおぼつかねえようだよ」

「ふうん……それにしても、この宿屋の目と鼻の先で、桑原の喜十が煮売り酒屋をしていようとはなあ……」

「おれもこれまで、すこしも気づかなかったよ、万吉どん」

するとと杉井鎌之助が振り向き、

「そんな病人を殺るのに、おれが出ることもなかろう」

「とんでもねえ。病気だろうが何だろうが、源蔵のやつときたら、まったく……」

「油断も隙もないと申すのか」

「そのとおりなので」

桐生の友七も無言で、うなずいて見せた。

「いずれにしろ、乗り込んで討つまでもあるまい。今度出て来たら、そのときが最後だ。なに、日中だろうが夜だろうが、おれはかまわぬよ」

こういって、杉井鎌之助が声もなく笑い、

「今夜は此処に泊めてもらうことになるな」

「そうしておくんなさいますかえ？」

「仕方があるまい」

すっと立ちあがった杉井が、袴を脱ぎながら、

「明日中に出て来ぬときは、夜更けてから煮売り屋へ押し込み、一気に源蔵の始末をつけてくれよう」

事もなげにいった。

三

大滝の五郎蔵は、本所・相生町《あいおいちょう》の家へ帰ってからも、何やら浮かぬ様子であった。

五郎蔵おまさ夫婦の義理の父親になっている、これも元盗賊の舟形《ふながた》の宗平《そうへい》が梅雨どきの所為《せい》もあって腰が痛みはじめ、おまさはこのところ、家にいて宗平の看病に専念していた。

宗平は、二階の一間に寝ている。

ちかごろは、煙草屋の店もやめてしまい、

「こうなっちゃあ、お終《しめ》えだよ。長えことはあるまい」

などと、宗平は心細いことをいう。

「ねえ……お前さん……お前さんたら……」

夫婦で夕餉《ゆうげ》をすませた後、二階の宗平に薬をのませ、階下へもどって来たおまさが、

「いったい、どうしなすったのさ?」

台所から声を投げた。

「う……うむ。いや、何でもねえ」

長火鉢の前で、五郎蔵は、ぼんやりと煙草を吸っている。

雨音が、部屋の中にこもっていた。

「いいえ、何でもないことはない。今日の見廻りで、何かあったにちがいない」

「まあ、な……」

「女房の私にも、いえないことかえ?」

「そうではねえ。実は、これから、お前にも聞いてもらうつもりでいたのだ」

「どんなことですよ?」

長火鉢の向うへ坐ったおまさへ、

「喜十の店へ、今日、ちょいと寄ってみた」

「ええ……」

「どうも妙なのだよ、喜十の素振《そぶ》りが……」

「どんなふうに?」

五郎蔵は、桑原の喜十が、いつもにくらべて本能的な緊張を隠し切れない様子だったことを語った。

「店へ入って行ったおれの顔を見たとたんに、喜十の顔色が、わずかだが変った」

「気の所為ではないのかえ?」

「いや、たしかに変った。はなしかけても、妙によそよそしい。こんなことは今までになかったことだ」

「まあ……」

「おれは以前に、何度も喜十を盗めに使ってきたから、あの男の気性はよくわきまえている。何か隠し事があるにちがいない」

「どんな……？」

「おれに知られたら困ることだ。盗賊改方の手先になってはたらいている、いまの五郎蔵にはいえねえことだろう」

「でも、お前さん……」

「いままで、おれの気の所為かと、何度も、この胸に尋いてみたのだが……やはり、喜十は何か隠している」

夫婦は、顔を見合わせた。

一瞬の後に、おまさがこういった。

「喜十さんはだれかを囲《かく》まっているのじゃないかしら……」

さすがに、するどい勘《じっ》ばたらきだ。

五郎蔵は女房の眼を凝と見つめて、うなずいた。

「おれにいえねえことだから、よっぽど、義理がからんでいるにちがいない」

「明日は、私が探ってみようか？」

「二階の爺っぁんは大丈夫か？」

「ええ。明日は起きてみるといってなさる」

「そうか、それなら、おれといっしょに……」

と、五郎蔵がいいさしたとき、足音が裏手へ近づいてきて、裏の戸が叩かれた。

台所へ出たおまさが、

「どなた？」

「粂八だ。開けておくんなさい」

「あれまあ……」

おまさが戸を開けると、傘をすぼめた小房の粂八が入って来た。

「粂さん。何か、あったのか？」

と、五郎蔵。

「あったどころじゃあねえ。見つけましたよ、磯部の万吉を、ね」

「ほんとうか？」

「鶴次郎が、千住で見かけたので」

「そうか、鶴がねえ」

「そうなので」

鶴次郎は、あの〔鬼火〕事件でも活躍した盗賊改方の密偵で、以前は大滝の五郎蔵の配下だった男である。

だから、五郎蔵の盗めを助けに来たときの磯部の万吉の顔を見知っているわけだ。

今日の昼ごろに……。

鶴次郎は、千住二丁目の食売旅籠《しょくばいはたご》・井戸屋を出て、荒川へ架かる千住大橋を南へわたり、小塚原町へ出た。

前夜から鶴次郎は、

(久しぶりで息ぬきをしよう……)

と、おもい、井戸屋にいるなじみの飯盛女《めしもりおんな》(娼婦)おきぬと一夜をすごし、ゆっくりと寝ての帰り途《みち》であったそうな。

井戸屋を出るときは別に何でもなかったが、千住大橋を渡って江戸の地へ入ると、急に空腹をおぼえた。

そこで、飛鳥明神社の東側の角地にある茶店へ入り、炊きたての飯に生卵をかけ、こんがりと焼いた干魚で朝昼兼帯の食事をすませ、ひょいと表へ出ると、道をへだてた筋向いの茶店から、何と、磯部の万吉が出て来たではないか。

万吉は、剣客ふうの侍と二人連れで、待たせてあった二挺《ちょう》の町駕籠《かご》へ乗った。

(あっ……)

とっさに、鶴次郎は出て来たばかりの土間へ身を引いたので、万吉には気づかれなかった。

「それでも遠目のことではあるし、ともかくも念を入れなくてはとおもい、後を尾けま

した」

と、鶴次郎は語った。

二つの駕籠を尾行すると、これが何と、南八丁堀の宿屋・山重へ着き、万吉と侍が中へ入って行った。

このとき鶴次郎は、物蔭から、

(まさに、磯部の万吉だ)

と、たしかめることを得たのである。

そこで、近くの真福寺橋《しんぷくじばし》の袂にある〔喜仙《きせん》〕という船宿へ行き、こころづけをわたし、若い者へ使いをたのんだ。

清水門外の役宅よりも、深川の小房の粂八の船宿へ知らせたほうが早いとおもったのだ。

そして自分は、雨の中を往《い》ったり来たりしながら、山重を見張っていた。

近くの煮売り酒屋・信濃屋の喜十のことを鶴次郎も知ってはいたが、こんなときには、

「喜十を巻き込んではいけねえ。それでねえと、あの男は、二度と役に立ってくれねえから」

と、かねがね五郎蔵に念をおされている。

「そうか、それにしても、鶴は、よく見つけてくれたものだ」

と、五郎蔵がおまさを見やった。

うなずいたおまさの眼が、

（でも、選《よ》りに選って、喜十さんの家の、すぐ近くの宿屋へ万吉が入って行ったとは……）

不安そうに瞬《また》いていた。

今日、五郎蔵が不審《ふしん》におもった喜十の態度と、磯部の万吉の出現は、何か関わり合いがあるのだろうか……そのおもいは、五郎蔵も同じだろう。

「それで粂さん。いま、どうなっているのだ？」

「長谷川様が、すぐに、お前さんに出張《でば》るようにとおっしゃってね」

立ちあがった五郎蔵が、おまさに「仕度をしろ」と叫ぶようにいってから、

「それでは何か、もう、すっかり手配《てくば》りがついているのかえ？」

「いまごろは、ね」

粂八は、五郎蔵から喜十の存在を、まだ打ちあけられていなかった。

「粂さん。途々《みちみち》、くわしくはなすが、こうなったら、お前に、ぜひとも打ちあけておかなくてはならねえことがある」

と、五郎蔵は帯をむすびながら、

「その山重という宿屋の、すぐ近くに、おれについている洩《も》らし屋がいてね」

せわしげにいった。

〔洩らし屋〕とは、ひそかに情報をながしてくれる者のことをさす。これは、盗賊改方

というよりも盗賊仲間の隠語《いんご》といってよい。

四

そのころ……。

南八丁堀三丁目の〔山重〕の二階座敷では、磯部の万吉と杉井鎌之助が酒を酌みかわしている。

見張りに疲れている桐生の友七は、次の間の寝床へもぐり込んでしまった。

山重の二階には、二間つづきの、この客室のほかに小さな部屋が二つある。

そこにはいま、客はいないが、すこし前に万吉が小用《こよう》に立ったとき、階下の部屋へ客がひとり、入って行ったようだ。

万吉は障子を細目に開け、道をへだてた向う側の煮売り酒屋を見やりながら、盃を重ねていた。

山重の二階からは煮売り酒屋の側面が、すべて見わたせる。

裏手の路地口や、表の出入りが、ほとんど目に入る。

中二階にあたるところに小窓があり、そこに灯りが入っているかぎり、

「今里の源蔵は、中にいますよ」

と、桐生の友七はいった。

これまで独りきりの見張りだったので、夜更けから明け方までは、友七も眠っていた

らしい。

いまも、煮売り屋の小窓に灯りが入っている。

「うっかりと、その障子を開けるなよ。向うでも障子の透間から外を見ているやも知れぬ」

と、杉井鎌之助が、

「何です？」

「磯部の。どうでもいいことだが、ひとつ、聞いておきたい」

「おぬし、今里の源蔵は、弟の敵といったな」

「いいましたよ」

「嘘《うそ》だろう」

「どうして嘘なので……」

「そんな気がした」

杉井の両眼が、針のように光った。

口へふくみかけた盃の手をとめ、磯部の万吉が一瞬の沈黙の後に、

「そんなことを尋いて、どうなさる？」

「いいたくないのか？」

「だから、弟の敵だと……」

「おぬしに弟がいたなどとは、昨日、はじめて耳にした。もう十年のつきあいだという

のに、な」

「……」

「ま、よいわ。おれは五十両の小遣い稼《かせ》ぎをすればよいことだ」

「そのとおりで」

「これ、そう睨《にら》むなよ」

「睨んでいますかえ？」

「睨んでいる」

「睨んでなんか、いませんぜ」


夜が更けた。

煮売り酒屋が店を閉めた。

このところ、店を閉めるのが早い。

いつもは八ツ半（午前三時）ごろまで商売をしている信濃屋の喜十なのだが、

「何だか、疲れてしまうのだよ」

と、女房にはいってある。

「そのほうがようござんす。躰に気をつけて下さいよ」

女房は、早仕舞《はやじまい》に賛成であった。

二十も年上の、老いた亭主だけに、女房のおときは、

（一年でも二年でも、長生きをしてもらいたい）

と、おもうのは当然だろう。

おときは、寝床へ入った喜十の腰や腕を半刻も揉《も》みほぐすことを欠かさない。

「今夜は、先へ寝ておしまい」

店を仕舞った喜十は燗《かん》をつけた酒や肴《さかな》を盆の上に乗せ、中二階へあがって行くとき、
女房へそういった。

「それなら、そうさせてもらいますよ」

「うむ、うむ……」

「お前さんも、早くね」

「わかっているよ」

上へあがって、

「源蔵さん。ぐあいはどう……」

いいさした喜十が、びっくりして、

「ど、どうしなすった？」

今里の源蔵は、この夜更けに旅仕度をしていたのである。

「なあに……」

源蔵は、笑って見せた。

顴骨《かんこつ》の張った、年齢《とし》にしては皺《しわ》の深い顔は滅多に笑うことがないけれども、この男が

微笑《ほほえ》むときは何ともいえぬ人懐かしげな顔に変る。それは別人のようであった。

「喜十どん。ずいぶん、厄介をかけてしまったなあ」

「な、何をいってなさる。こんな夜更けに何処《どこ》へ行きなさる？」

「盗人《ぬすっと》のおれには、夜の旅立ちが似合っている」

「そんなに急ぎなさるのかね？」

「急に、おもいたってな。お前に、この上の迷惑はかけたくねえのだ」

「ちっとも迷惑なんかしていねえ」

「いや、そのことじゃあねえ」

「では、どんなことなのだね？」

「実は、な……」

「え？」

「どうも、気にかかってなあ」

「わからねえな。はっきりといっておくんなさい」

「ここの厄介になって、躰もよくなり、湊稲荷まで足ならしに出たのだが……」

「ふむ……ふむ……」

「この前に外へ出たとき、どうも、後を尾けられたような気がする」

低くいって、今里の源蔵は眼を据えた。

「まさか……そんな気がするだけだよ、源蔵さん。私も盗めをしていたころは、いつも

そうだった。あ、こんなこと、お前さんにいうまでもねえことだったな」

「なあに、かまわねえ。たしかに、そのとおりだが、だからといって、自分の勘ばたらきに引っかかって、どうしても除《と》れねえときは用心するにこしたことはねえ」

「お前さんは、むかしの私と同様に、江戸で盗めをしたことがないお人だ。だから……」

「いや、お上《かみ》に嗅《か》ぎつけられたというのではねえ。喜十どん、盗人仲間にも、おれの命をねらっているやつが二人や三人はいるのだよ」

喜十は、息をのんだ。

いったん熄《や》んでいた雨が、また、板屋根へ音をたてはじめた。

「この稼業を長年していると、いろいろなことがあってな。とうとう、おれは、洗う足も洗えなくなってしまった……」

「源蔵さんが、人に恨みでも？」

「いや、恨んでいるのはおれのほうなのだ。向うは逆《さか》恨みというやつさ。たとえば、あの磯部の万吉という盗人だが……」

「名前だけは、耳にはさんだことがある」

「五年ほど前に、おれが采配《さいはい》を振って、一人ばたらきの仲間を十人ほどあつめ、駿府《すんぷ》の呉服屋へ押し込んだことがある。その中に、万吉も入っていたのだが……万吉め、盗んだ千二百両を、まんまと一人じめにして逃げてしまったのだ」

「へえ……」

「万吉に手を貸したやつも何人かいたのだ」

「そんなことがあったので……」

「大井川をさかのぼった笹間《ささま》の山の中の盗人小屋へ盗んだ金を運び、三人の見張りをつけておいたのだが、三人とも万吉に殺されてしまったのだ。そのうちの一人が、それでも必死に島田の宿外《しゅくはず》れにいたおれのところへたどりつき、盗《つと》め金《がね》を奪って逃げたのは磯部の万吉だと告げ、そのまま息が絶えてしまった……」

「……」

「だから、万吉をつけねらっているのは、おれのほうなのだ」

「なるほど。万吉も、お前さんを怖《おそ》れている」

「だから一日も早く、おれにあの世へ行ってもらいたいのだよ。これまでに二度ほど、得体《えたい》の知れねえ闇討ちをかけられたことがあってな。こいつは、きっと、万吉が手をまわしたにちげえねえと、おれは睨《にら》んでいる」

「……」

「だからな、喜十どん。もしも此処へ飛び込まれたら……」

「そいつはどうかね。やっぱり、気の所為だよ」

「いや、どうも気にかかる。たしかに尾けられていたような……」

「そいつの顔を見なすったのか？」

「見てはいねえ。いねえが、わかる。気の所為だとおもいはしても、いまはどうにもならねえ。どうやら熱も下ったようだし、これから、すぐに発つ。だが喜十どん。この部屋の灯りは、朝までつけておいてくれ」

今里の源蔵は真新しい紺の脚絆《きゃはん》をつけながら、

「せっかくだから、別れの盃をもらおうかね」

しずかにいった。


それから半刻ほどして、喜十と源蔵は音もなく、階下に降りてきた。

入れ込みの店のほうは暗く、奥の喜十夫婦の寝間の行燈《あんどん》が淡く点《とも》っていたが、女房おときの健康そうな寝息が洩れている。

二人は、土間へ降りた。

源蔵は、草鞋《わらじ》を履《は》きながら、

「喜十どん。おさらばだ」

「源蔵さん……」

「世話になったねえ」

「な、何の……そんなことをいわねえで下さい」

「おれも、そうさな……どっちみち、二年か三年の命だろうよ」

「つまらねえことをいいなさる」

「いずれにしろ、おれの躰は、長く保《も》ちそうもねえ」

「だから……」

「喜十どん。戸をな……戸を、そっと開けてくれ。二尺ほどでいい」

「へ……」

「おかみさんに、よろしくな。さ、早くしてくれ」

喜十は仕方なしに、表の戸を少しずつ引き開けていった。

あっという間もなかった。

両手をつき、這《は》うようにして今里の源蔵は、するりと外の闇の中へすべり出て行った。

「早く、あとを閉めてくれ」

これが、喜十が聞いた源蔵の最後の言葉であった。

土間に、しばらくは立ちつくしていた喜十が、中二階へあがり、源蔵の寝床をたたみかけたとき、枕の下から紙包みがあらわれた。

ひらいて見ると、中に小判が三十両。


そのとき……。

道をへだてた宿屋〔山重〕の二階座敷では、磯部の万吉も杉井鎌之助も、まだ起きていて、酒をのんでいたのである。

ときに、九ツ半（午前一時）ごろだったろう。

万吉は盃を手にしながらも、障子の透間から、煮売り酒屋の中二階の小窓を見ていた。

小窓には、淡い灯りがついている。

万吉も杉井も、今里の源蔵が、すでに煮売り酒屋から旅へ発ったとはおもってもみなかった。

たとえ万吉が、信濃屋の表口へ目をつけていても、真暗な雨の道へ、源蔵が素早く這って出た姿をみとめることはできなかったろう。信濃屋の店の間に灯りはついていなかったし、したがって戸を開けても、灯りが外へ洩れることもなかったのだ。

「どうだ。そろそろ寝ようではないか」

杉井鎌之助が、こういい出したのは、それからまた半刻がすぎてからで、

「明日中に片がつく。心配するな」

「いいえ、何も心配なんぞしていませんがね」

「夜が明けたら、すぐに友七が此処へ来て見張ってくれる。もう寝よう」

「そうしましょうかね」

二人の寝床は、そこにならんでいる。

杉井鎌之助は身を横たえ、

「今夜は、よく眠れそうだ」

「よくまあ、降りゃあがる」

「雨は嫌いか？」

「大嫌いで……」

「おれは好きだ」

万吉はこたえず、何か忌々《いまいま》しげに杉井を見やった。

その万吉の目つきに、杉井は薄笑いを浮かべ、

「今里の源蔵殺しの半金二十五両。今夜のうちにもらっておこうか」

「わかっていますよ」

舌打ちをして磯部の万吉は、ふところへ手を入れた。

五

それから、どれほどの時が過ぎたろう。

それは、まるで、夢魔《むま》に襲われたかのような一瞬であった。

ぐっすりと寝入っていた磯部の万吉は、杉井鎌之助の叫び声と激しい物音に目ざめた。

目がさめた瞬間には、

（地震だ……）

そうおもった。

二階座敷が揺れうごき、地響きが起っているようで、

「あっ！」

飛び起きたとき、次の間から躍り込んで来た男たちを見た。

（な、何だ、こりゃあ……？）

咄嗟《とっさ》に、わからなかった。

次の間で、桐生の友七の悲鳴がきこえ、杉井が、

「手がまわった。逃げろ!!」

喚《わめ》きざま、何と、座敷の障子を引き開け、外へ飛び下りる後姿が万吉の目に入った。

行燈の灯りは消えていた。

そのかわりに、廊下から座敷へかけて、いくつもの龕燈《がんどう》の光が乱れ飛び、

「畜生!!」

肌身をはなさぬ短刀《あいくち》を引き抜こうとした磯部の万吉の肩を、走りかかった盗賊改方・同心の酒井祐助が、

「神妙にしろ!!」

十手を揮《ふる》って打ち据えた。

「う……」

躰中がしびれ、万吉は短刀を落し、逃げる間もなく捕縄《とりなわ》をかけられている。

（ど、どうしたんだ、いったい……どうして、こんなことになったのだ？）

わからない。

どうしても、わからない。

（ああ……）

がっくりと肩を落し、よろよろしながら立ちあがった。

（も、もう、いけねえ）

万吉は、酒井同心に小突かれて、すでに御縄にかかっていたのである。

このとき桐生の友七も、すでに御縄にかかっていたのである。

一方、大刀をつかんだ杉井鎌之助は二階の窓から路上へ、一気に飛び下りた。

煮売り酒屋を見張っていた障子のところだけ、雨戸を閉めておかなかったのがよかったともいえる。

「逃《の》がすな!!」

路上に声がして、たちまちに、盗賊改方の捕手《とりて》が杉井へ駈け寄って来た。

〔火盗〕としるした高張提灯《たかはりぢょうちん》が、左右から杉井へせまって来る。

（おのれ、いつの間に……）

歯がみをした杉井は大刀を引き抜き、鞘《さや》を投げ捨てた。寝間着姿のままであることはいうまでもない。

（捕まって、たまるものか!!）

猛然と、杉井は左手の捕手へ向って突進した。

打ってかかる捕手の突棒《つくぼう》を切り払いざま、

「たあっ!!」

振り向いた杉井の一刀が、後ろから組みつこうとした捕手を袈裟《けさ》がけに斬った。

「うわあ……」

絶叫を発して転倒する捕手をそのままに、

「む!!」

杉井鎌之助が、突きすすみながら、たちまち、右に左に二人の捕手を斬って倒した。

凄《すさ》まじい腕前だ。

切り破られた捕手が乱れ立つ隙《すき》を逃がさず、杉井は大刀を打ち振りつつ、南八丁堀三丁目から京橋川沿いの道へ出た。

このとき、五丁目の信濃屋の軒下に待機していた同心三名が、

「待て!!」

ぱっと躍り出て杉井の前へ立ちふさがるのを物ともせず、

「や、やあっ!!」

気合声を発し、飛びあがるようにして杉井が刃《やいば》を打ち込んだ。

「むう……」

杉井の刃に肩口を斬られたのは、矢島庄平《やじましょうへい》という若い同心であった。

杉井は身をひるがえし、中ノ橋を駈け渡ろうとして、はっと立ちどまった。

橋の中ほどに立っている人影を見たからだ。

その人は、ひとりきりで立っている。

そして、杉井の背後へ駈けせまって来た同心や捕手たちへ、

「手を出すな」

と、声をかけた。

長谷川平蔵だ。

この夜の平蔵は、陣笠をかぶり、定紋《じょうもん》入りの打《ぶ》っ裂《さ》き羽織、袴をつけた出役《しゅつやく》姿で、つかつかと杉井鎌之助へ近寄り、

「おのれは、これまでに、何人もの人びとを殺《あや》めてまいったな」

「う……」

「刀を捨てよ」

「退《の》けい!!」

「こやつめ、申すことよ」

平蔵が、にやりと笑い、足をとめた。

二人は約三間《げん》をへだてて向い合った。

雨が降りけむっている。

杉井が腰を沈めた。

平蔵が長十手《ながじって》をひっさげたまま、一歩、二歩とせまる。

そのとき、弓弦《ゆんづる》をはなれた一筋の矢のごとく、杉井鎌之助が平蔵へ斬りかかった。

同時に、長谷川平蔵も躍り込んでいる。

鉄と鉄の撃ち合う音が響き、杉井の大刀は手をはなれて宙に飛び、京橋川の暗い川面《かわづら》

へ吸い込まれて行った。

平蔵の十手に頸《くび》すじを強打された杉井が、ふらふらと二、三歩、橋板を歩んだかと見えたが、崩れるように倒れ伏した。

この捕物騒ぎで、近辺の人びとは息をひそめていたが、信濃屋の喜十も、寝床の中で女房おときの大きな乳房へしがみついている。

「おとき……おとき……」

五十七にもなった喜十が、子供のような泣声で、若い女房の胸へ顔をこすりつけ、

「おとき、しっかりと抱いてくれ。え、もっと、しっかりだよ」

「大丈夫ですよ、お前さん。悪いやつらが捕まっているのだから、何も、怯《おび》えることはありませんよ」

「う、う、う……」


それから十日ほど後の或日《ある》の午後。

大滝の五郎蔵は、あれ以来、顔を見せなかった煮売り酒屋の信濃屋へあらわれた。

空は真青に晴れていた。

長かった梅雨が、あがったのである。

この十日の間に、五郎蔵は、おまさや粂八と共に、それとなく信濃屋の様子を探って

おいた。喜十に顔を知られていない小房の粂八が、自分の船宿の船頭たちを使ったりして、信濃屋には喜十夫婦と子供だけしかいないことをたしかめた。

〔山重〕にいた三人の盗賊たちとも、喜十は関わり合いがないらしい。

それは、三人の調べによってわかった。

長谷川平蔵は、磯部の万吉が一人ばたらきの盗賊であることから、

「面倒なことをせずともよかろう。山重が盗人宿でないことはわかっているのだから、おもいきって打ち込み、三人を引っ捕えよ」

と、命を下した。

夜更けて、山重へ泊り込んだ一人の客は、同心の木村忠吾であり、夜明け間近い捕物となったときは、山重の主人夫婦や家族、奉公人のすべてが退避《たいひ》していたのだ。

「酒を、たのむよ」

店に入って来た大滝の五郎蔵が声をかけるや、

「おや、いらっしゃいまし」

迎えた喜十の声にも顔にも、一点の曇りがない。

(はて……?)

五郎蔵は、

(やはり、おれの気の所為だったのか……)

と、おもわざるを得ない。

他に、客はひとりもいなかった。

酒を持って引き返して来た喜十が声をひそめ、

「この間、山重で捕物があったのですってね？」

「知っていたかえ」

「あの大捕物を知らねえはずはないでしょう。いったい、どんなやつが御縄にかかったので？」

「磯部の万吉と、それに浪人くずれの杉井鎌之助。いま一人は桐生の友七というやつだ」

「磯部の万吉が御縄に……」

と、喜十が目をみはった。

「うむ」

大きくうなずいた五郎蔵へ喜十が、

「さようで。そりゃあ、ようございました」

と、喜十の老いた顔に、笑いが波紋のようにひろがった。

「何にしても、そりゃあ、よかった」

「お前、ずいぶん、よろこんでくれるじゃあないか」

「だって、あなたも、お出張りなすったんでしょう？」

「ま、駈けつけて間に合ったがね」

「よかった。そりゃあ、ようございましたねえ」

「……？」

その日、我家へ帰った大滝の五郎蔵が、おまさに、

「喜十が妙によろこんでいた。どうも気にかかる」

「またかえ」

おまさが笑い出して、

「このごろ、お前さんは、どうかしていなさる」

「そうかなあ……」

「喜十さんはね、お前さんのためによろこんでいるのですよ。あの人は大丈夫。あんなに、お前さんへ義理を立てているのだもの」

「ま、それはそうだが……」

割り切れぬおもいを振り捨てるように、五郎蔵は、

「さ、酒をつけてくれ。二階の宗平爺《とっ》つぁんもよんで、久しぶりに三人でのもうじゃねえか」

「そうしようねえ」

「蚊《か》やりは、おれが焚《た》こう」

「あ、たのみますよ」

開け放した台所の戸口から、涼風《すずかぜ》がながれ込んでいる。

路地の何処かで、蝙蝠《こうもり》を追う子供たちの声がきこえ、夕闇が濃くなってきた。

同じころ。

南八丁堀の信濃屋では、喜十夫婦と通《かよ》いの小女が、時分どきで、店いっぱいの客を相手に、汗みずくとなって立ちはたらいていた。

喜十は、板場で庖丁をつかいながら、酒の仕度もするといういそがしさだ。

「おい、おとき。豆腐があがったよ」

「あい、あい」

「暑いなあ」

「でも、今日のお前さんは、なんだか、とても元気がよござんすよ」

「そうかね。そう見えるかい」

「ええ」

「元気を出さなくてはなあ。お前と、お光のためによ」

「たのみますよう」

「汗がひどいぜ、お前。さ、この手ぬぐいでおふきよ」

「すみませんねえ」

高萩《たかはぎ》の捨五郎《すてごろう》

昼下りの境内《けいだい》の、松の木立に蟬《せみ》が鳴き頻《しき》っている。

夏の盛りの日ざしに参道が白く乾《かわ》いて、参詣の人の姿もなかった。

（ああ、畜生め、なんて暑いんだよう）

相模《さがみ》の彦十《ひこじゅう》は、げんなりとなって、先へ行く長谷川平蔵の背中を、うらめしげに見やりつつ、

（へっ。長谷川さまときたら、この暑いのに汗もかかねえのだから、供をしている者は、たまったものじゃあねえ）

参道の左側が大きな池になってい、その辺《ほと》りには葭簀《よしず》張りの茶店もならんでおり、そ

の中には客の姿もちらほら見えた。

だが、火盗改方の長官・長谷川平蔵は見向きもせず、裏門の方へ歩む。

(ちえっ……昼めしも食わねえつもりかよ。長谷川さまも吝《しわ》くなったものだ。あきれるほかはねえ)

胸の中で、彦十は文句をならべている。

この日の長谷川平蔵は、白い帷子《かたびら》を着ながしにして、塗笠をかぶり、河内守国助《かわちのかみくにすけ》二尺三寸五分の大刀を落し差しに、例のごとき浪人姿の市中見廻りであった。

平蔵が、本所二ツ目の軍鶏《しゃも》なべ屋〔五鉄〕へあらわれたのは五ツ半(午前九時)ごろで、

「おい、彦十。供をしろ」

いまも、五鉄の二階に寝泊りをしている老密偵・相模の彦十を連れ出した。

それから、およそ二刻も諸方を歩きまわり、水一杯のもうとはしなかったのだから、彦十が怒り出すのもむりはない。

平蔵が〔本所の銕《てつ》〕などとよばれていた、若き日の放蕩《ほうとう》時代から知り合っている彦十だけに、いざとなると遠慮も会釈もなくなってくる。

「長谷川さまよう。ちょいと、ひと休みさせておくんなせえよう」

たまりかねて、彦十が声をかけたけれども、平蔵は振り向きもせぬ。

ここは、請地《うけち》村にある秋葉大権現《あきばだいごんげん》の境内である。

秋葉大権現社は、遠州の秋葉権現を勧請《かんじょう》し、稲荷《いなり》の相殿《あいでん》としたもので、ゆえに土地《ところ》の人びとは「千代世《ちとせ》稲荷」と、よんでもいる。

このあたりは、現・墨田区向島《むこうじま》というわけだが、当時は田園そのものの景色であって、物の本にも、

「……境内の林泉《りんせん》は幽邃《ゆうすい》にして、四時遊覧《ゆうらん》の地なり」

と、ある。

「長谷川さまよう。いいかげんにして下せえよう」

彦十が、ついに大声をあげたとき、平蔵は裏門を出てしまった。

「ええ、もう、勝手にしやがれ」

喚《わめ》きながら彦十が裏門を飛び出すと、長谷川平蔵が向うの茅《かや》ぶき屋根の茶店の前に立ち、塗笠をぬぎ、笑いかけているではないか。

「な、何がおかしいのでござんす。年寄りが空腹を抱え、照りつけられてひょろひょろしているのが、そんなにおかしい……」

「まあ、落ちつけ」

「落ちついてなんか、いられ……」

「この家《や》の鯉《こい》はうまいぞ」

いうや、平蔵はさっさと茶店へ入って行く。

(な、なあんだ。それならそうと、早くいっておくんなさりゃあいいによ)

照れくさそうに彦十が、一足遅れて茶店へ入ると、すでに平蔵は土間を抜けて奥の小座敷へあがっている。

茶店といっても、酒を出すし、気のきいた肴《さかな》もつくる。

この店は〔万常《まんつね》〕といい、土間の一隅に生簀《いけす》を設け、鯉を放してあった。

冷たい井戸水をつかっての鯉の洗いで、酒が出たものだから、

「へ、へへ……すみませんねえ、長谷川さま」

彦十は、たちまちに相好《そうごう》をくずした。

「爺《とっ》つぁん。ここでたっぷりとのんだら、今日はもう、五鉄へ帰って昼寝でもするがいい」

と、平蔵の口調もくだけてきた。

「さすがは鉄つぁん……いえ、あの長谷川さまだ。ものわかりがようごぜえます」

だが、これから後で昼寝というわけにはいかなくなった。

彦十が、むかし、知り合っていた盗賊の顔を見たのは、それから半刻（一時間）ほど後のことであった。

一

そのとき、彦十は小用に立った。

奥には小座敷が一つあり、そこで平蔵と彦十は酒をのみ、鯉の洗いの舌ざわりをたの

しんでいたのだが、厠《かわや》は、小座敷と土間の境の通路を曲がった突当りにあった。

そこへ入って用を足し、出て来た彦十が何気もなしに、土間の方を見やって、

「あ……」

おもわず出しかけた声を掌《て》で塞《ふさ》ぎ、身を屈めるようにして、小座敷へもどって来た。

「彦十。何だ、その屁ひり腰は……」

「しっ……」

「……？」

「向うで、高萩《たかはぎ》の捨五郎《すてごろう》が酒をのんでいますぜ」

「何……」

高萩の捨五郎は一人ばたらきの盗賊で、むかし、相模の彦十と二度ばかり、同じ盗《つと》めで顔を合わせたことがあるし、あの〔妙義の團右衛門〕事件で死亡した元嘗役《なめやく》の馬蕗《うまぶき》の利平治《りへいじ》も、捨五郎のことはよく知っていた。

したがって、高萩の捨五郎については、すでに人相書もととのい、盗賊改方の人びとの胸にたたみこまれている。

「どこだ？」

と、平蔵がささやくのへ、

「土間の、こっちのほうの縁台へ腰をかけて、一杯やっていますよ。土間にいる客は捨五郎ひとりきりで……」

うなずいた長谷川平蔵は、彦十と入れかわり、簾《すだれ》の透間《すきま》から土間のほうを窺《うかが》った。

こちらに背を向けた町人姿の男が、まさに酒をのんでいる。

「あれか……」

「へえ」

「あの様子では、此処《ここ》に長居をするつもりではないらしい。だれか、仲間と待ち合わせをするのなら、茶店の土間をえらぶこともあるまい。どうじゃ？」

「ですが、あの男は肝っ玉がふてえからねえ、長谷川さま」

「ふうむ……」

高萩の捨五郎は盗賊仲間で、名の売れた男だが、これまでに一度も御縄にかかったことはない。

引き込みをやっても、

「大《てえ》したもの……」

だというし、もう三十年も盗みばたらきをしてきているのだから、経験も豊富で、

「どこのお頭《かしら》も、捨五郎に助《す》けてもらいたがっておりましたが、何しろ、血を見ることが大嫌いな男で、三カ条の掟《おきて》をまもる盗めでなくては承知をいたしませんでございました」

と、これは亡き馬蕗の利平治が平蔵へ語った。

「私はね、十七のときに実の兄貴を殺してしまい、故郷《くに》を逃げ出したのだが……それか

らどうも、道を踏み外したらしい」

むかし、捨五郎は彦十に、そう語ったというから、よほど彦十には気をゆるしていたのであろう。

「捨五郎は、どこかの盗めに加わっているのか、どうか……？」

「前に申しあげたように、あの男は、将軍さまのおひざもとでの盗めは恐れ多いなぞといって、むかしから、あまり江戸へは顔を見せなかったので……」

「そうだったな」

「だがねえ、長谷川さま。それだけに、捨五郎が江戸にいるということは……」

「盗めに加わっているということか」

「へえ」

「いずれにせよ、見逃すわけにはまいらぬ。彦十、お前は顔を見知られているゆえ、わしが後を尾《つ》けよう。お前は、わしの後から来い」

「へい」

彦十は、浮かぬ顔をしていた。

いまの彦十は、盗賊改方の密偵になりきっている。

ゆえに、高萩の捨五郎を見出したとき、いささかのためらいもなく平蔵へ告げたわけだが、わずか二度だけ同じ盗めをしたにすぎない自分へ、兄殺しの秘密を打ちあけてくれた捨五郎の心情に対して、

(すまねえ……)

と、おもっているのであろう。

「彦よ。お前、この茶店を出るとき、菅笠を買っておけ」

「へい」

間もなく、高萩の捨五郎は茶店の老爺をよんで勘定をすませ、

「うまい酒でしたよ」

愛想よくいい、まだ日ざしの強《きつ》い道へ出て行った。

「彦十。ぬかるなよ」

すぐに平蔵も奥から出て、手早く勘定をはらい、塗笠をかぶって外へ出た。

捨五郎は五十を三つ四つ、こえているはずだが、長身の背すじも伸びているし、足の運びもしっかりしたもので、夏羽織を着て、白足袋に草履《ぞうり》をはき、

「糸瓜《へちま》みてえな……」

と、相模の彦十が評した長い顔を隠しもせず、裏門から秋葉大権現の境内へ入って行った。

しかし、本社へ参詣をするわけでもなく、参道をまっすぐに惣門《そうもん》の方へ向う。

先刻にくらべると、参詣の人も其処《そこ》此処に歩んでおり、風も出てきて、しのぎやすくなったようだ。

平蔵は、背後からついて来る彦十へ振り向くこともなく、高萩の捨五郎を尾行してい

る。

秋葉大権現の惣門前の道を右へ行けば大川（隅田川）の堤《つつみ》へ出る。

このあたりには、田園の風光を愛《め》でながら、ゆっくりと酒飯をたのしもうという客のために、風雅な造りの料理屋も少くない。

その一つ、武蔵屋というのが、秋葉大権現の近くにあった。

武蔵屋の表口は、植木が塀がわりになってい、石畳の通路が奥深く伸びてい、茅屋根の棟《むね》がいくつもある。

ところで……。

捨五郎が武蔵屋の前を行き過ぎる少し前に、座敷女中や店の者に送られ、四人の侍が武蔵屋から出て来て、大川の方へゆっくりと歩んで行った。

そのうちの一人は二十七、八歳の立派な武家で、これに家来が三人、つきそっているように見えた。

いずれも酒が入っており、主の侍は夏羽織を家来の一人に持たせ、悠然と肩を張り、上機嫌で、謡《うたい》のようなものを口遊《くちずさ》んでいる。

しばらく行くと、道の両側は田畑のみになり、前方の左手に三囲稲荷《みめぐりいなり》社の杜《もり》が遠くのぞまれた。

異変が起ったのは、そのときであった。

道端の松の木の上から、突然、なまあたたかい液体が落ちてきて、これが、主の侍の

頭へかかった。

「あっ……」

飛び退いた侍が松の木を見あげて、

「おのれ!!」

と、叫んだ。

木のぼりをして遊んでいた百姓の子が、上から小便をしたのだ。それを、もろに頭からあびてしまったわけだから、怒るのもむりはなかったろう。

子供は五つか六つで、下を通る侍たちに気づかず、ただ無心に放尿したのだ。

「斬って捨てい」

主の侍が、家来たちに命じた。

家来たちは、一瞬ためらった。

何分にも、相手は子供だし、しかも白昼のことだ。

「何をしておるか。早く、引きずり下せ」

「はっ」

家来たちがうごき出すのと同時に、主の侍は、脇差から小柄《こづか》を引きぬき、これを松の木の上の子供へ投げつけた。

悲鳴をあげて、子供が落ちてきた。

小柄が、子供の股へ突き刺さったのである。

畑の中から飛び出して来た百姓が、落ちた男の子を抱きあげ、

「な、何をなされますか」

怒りの目で侍たちを見まわした。

「だまれ。この子供《わっぱ》、木の上から殿へ粗相《そそう》をいたしした。ゆるしてはおけぬ」

「げえっ……」

「これへ出せ」

子供は父親らしい百姓へ抱きつき、気が狂ったように泣き叫んでいた。傷は軽かったが、さすがに驚愕《きようがく》したのであろう。

「申しわけもねえことで……この、せがれは、少し頭が足りねえのでごぜえます。どうか、ごかんべんを……」

子を抱いたまま、道へ坐った百姓が何度も頭を下げるのへ、つかつかと歩み寄った主の侍が、

「無礼千万《ぶれいせんばん》」

いうや、抜き打ちに子供を斬った。

いや、その瞬間に百姓が我子を庇《かば》ったので、侍の一刀は百姓の左肩を斬ったことになる。

「うわ……」

血がしぶいて、百姓は横ざまに倒れたが、子供を放さなかった。

「両人とも成敗せよ」

主にいわれて、家来の一人が大刀を抜きはらったとき、高萩の捨五郎が猛然と駈けつけて来て、

「何をするのだ」

背後から割って入り、刀をふりかぶった家来を突き飛ばしておいて、百姓へ、

「早く逃げろ」

と、叫んだ。

百姓は、必死であった。

肩の傷口からあふれる血汐もものかは、泣き叫ぶ我子を掻《か》き抱き、畑の中を恐ろしい勢いで逃げはじめた。

「待て!!」

喚いて大刀を振りかざし、畑の中へ踏み込み、追わんとする家来の一人へ、高萩の捨五郎が躍りかかり、横合いから腰へ抱きついた。

「こやつ……」

その捨五郎へ、別の一人が刀を打ち込んだとき、素早く捨五郎は、腰へ抱きついた家来の躰を、そのまま抱きあげるようにして体を入れ替えてしまった。

だから、別の家来が打ち込んだ一刀は、もろに、この同僚の肩口を斬った。

「あっ……」

斬られたほうもおどろいたろうが、同僚を斬ったほうも愕然となった。

捨五郎は、よろめいた家来の腰から手を放し、ぱっと飛び下った。とても五十をこえた男に見えぬ俊敏さであったが、つぎに畑の中へ飛び込んで来た家来は、三人の中でも腕が立つと見えて、ひたと、捨五郎のうごきに目をつけて走り寄りざま、

「たあっ!!」

腰を沈め、捨五郎の脚を切りはらったものである。

「畜生……」

と、一声。

捨五郎は身を躱《かわ》しきれず、右膝の下を切り割られ、尻餅をついた。

「逃がすな。斬れ、斬れい!!」

道で叫ぶ主の侍を突き退けるようにして、長谷川平蔵が畑の中へ走り込んで来た。

すべては「あっ……」という間の出来事で、捨五郎を尾行していた平蔵は、すぐに駈けつけたのだが、事を未然にふせげなかったことになる。

倒れた捨五郎の頭上へ大刀を打ち込もうとした家来を、平蔵は突き飛ばしておいて、

「あっ、何者……」

同僚を傷つけた家来が叫ぶのへ、すっとつけ入りさま、胸下の急所へ拳《こぶし》を突き入れた。

「むぅん……」

こやつが気を失って倒れるのと、突き飛ばされた家来が向き直り、

「おのれ、邪魔するな」

掬《すく》い斬りに平蔵へ一刀を送り込んできたのが同時であった。三人の中では腕が立っても、これほどの腕では平蔵を斬れるものではない。

塗笠をかぶったままの長谷川平蔵の躰が、斬り込む家来と飛びちがい、たがいに向き直った瞬間、平蔵に股間の急所を蹴りつけられた家来が、たまらず刀を落し、前のめりになって苦痛の呻《うめ》きをあげた。

彼らの主は、どうしたろう。

主の侍は、どこにいる……。

逃げた。

三人の家来を捨てて、道の向うの木立の中へ逃げる後姿が、平蔵の目に入った。

一瞬だが、笠の間から平蔵は、その後姿を見まもり、舌打ちを洩らしたようだ。

通行の人びとが数人、遠くから、こちらを見ている。

その中に相模の彦十がいたので、平蔵は手招ぎをした。

二

「な、何が何だか、さっぱり、わからねえ……」

煎餅《せんべい》蒲団《ぶとん》へ、ぐったりと身を横たえた高萩の捨五郎が、

「彦十どん。いったい、どうなっているのだ？」

傷の痛みに顔を顰《しか》めつつ、喘《あえ》ぎ喘ぎ尋ねるのへ、

「ま、ゆっくりとはなすからよ。しずかにしていねえ、しずかに……」

彦十は、そういって、脂汗《あぶらあせ》に濡《ぬ》れた捨五郎の顔へ、しきりに渋団扇《しぶうちわ》の風を送っている。

ここは、事件が起った場所から北へ十町ほどはなれた寺嶋村《てらじまむら》の一角にある百姓家だ。

この家の百姓・辰造が、先刻、我子の為太郎のかわりに肩を斬られたのである。

あれから、主の侍に逃げられた家来たちは、重傷を負った同僚を引き起し、這々《ほうほう》の体《てい》で、これも逃げ去った。

おそらく、主人はしかるべき家柄と身分があるので、事件が人の目にふれてはまずかったにちがいないし、それでなくとも、長谷川平蔵の早わざに肝をつぶしてしまったのだから、逃げるよりほかに道はなかったろう。

平蔵は、彦十に捨五郎を背負わせ、畑道を北へ向った。

「どこぞの百姓家へ入って、一時しのぎの手当をしてやろう」

と、平蔵は彦十にささやいた。

このときまだ、捨五郎は彦十に気づかなかった。

そこへ、肩を斬られた百姓の辰造が引き返して来たものである。実に気丈な男だ。

辰造は我子を抱いて逃げる途中、知り合いの百姓の女房に出会ったので、

「すまねえが、早く、為太郎を家へ連れていってくれ」

と、たのみ、捨五郎の安否を気づかって引き返して来た。なかなかできることではない。

「さあ、こっちへ来て下せえまし」

血まみれの傷にも屈せず、辰造は三人を我家へ案内した。

辰造の女房おかねは、若宮八幡の近くに住む医者を迎えに走り出て行き、その間に、平蔵と彦十は捨五郎・辰造の傷の手当を簡単にしておいた。

おかねは家を出るとき、傷の手当がすんだ六歳の為太郎を物置へ隠し、

「中から心張棒を支《か》って、おっ母がよぶまで外へ出て来ちゃあならねえぞ」

と、念を入れた。

いま、長谷川平蔵は、その物置に近い銀杏《いちょう》の老樹の下へ筵《むしろ》を敷き、手枕《てまくら》で身を横たえ、蟬の声を聴いている。

高萩の捨五郎が相模の彦十に気づいたのは、この家へ入ってからだ。

何しろ、傷の激痛をこらえるのに精一杯だったのだから、むりもない。

彦十の背中から下されて、

「おい、捨五郎さん。しっかりしなせえよ」

彦十に声をかけられ、

「や、お前は……」

はじめてわかって捨五郎が、

「こ、こいつは、おもいもかけねえことだ」

「えへ、へへ……」

「すると、あの……私を助けてくれた、あの御浪人は……？」

「ちょいと知り合いのお人でね」

と、彦十は心得たもので、

「ちょいと見ると人品《じんぴん》はいいがね、捨五郎さん、あれで、お盗《つと》めもやらかすという、隅におけねえお人なんだよう」

「ふうむ……」

「どうだ、凄《すご》い腕前だろう」

「む。おどろいた。あの畜生侍どもを、手玉にとったものなあ」

「まあ、安心をしていねえ。あのお人がついているからには、びくともするものじゃあねえよ」

「な、なんという、お人なのだね？」

「長谷川……うむ、伝九郎《でんくろう》というのよ」

「長谷川伝九郎……強そうな名前だね」

「強《つえ》えとも。これだけは嘘じゃあねえ」

百姓の辰造は三十がらみの、小柄だが、しっかりとした躰つきをしており、捨五郎へ泪《なみだ》を浮かべて礼をのべた。

すると捨五郎は、

「子供に罪はねえというが、木の上からの小便はいけませんよ」

と、いった。

「はい、はい。面目《めんぼく》もごぜえません」

「だが、侍が腰の刀《もの》を引き抜いて子供を斬り殺そうなぞとは、とんでもないことだ。侍の刀は、そんなことにつかうものではない」

「おかげさまでごぜえます。おかげさまで、たった一人の子の命が助かりました。はい、助かりました」

「よかったねえ」

「は、はい」

「だが、礼をいうのなら、外にいる長谷川様にいっておいでなさい。あのお方が助けて下さらなかったら、お前も私も、それに坊やも、畜生どもの餌食《えじき》になっていたところだ」

辰造が、外へ行き、長谷川平蔵へ礼をのべると、

「お前は、えらいのう」

筵に寝そべったままで、平蔵が、

「我子の一命を助けるため、刃《やいば》の下へ飛び込んだのは親として道理だが、危急を救ってくれたあの男を気づかい、引き返して来たのは上出来だ」

「と、とんでもねえことでござります」

やがて、医者があらわれ、知り合いの百姓たちも辰造の女房の知らせで、四人ほど駈けつけて来た。

庭へ出てきた相模の彦十が、

「長谷川さま。これからどうなさるおつもりで？」

「あの武家は、家来を見捨てて逃げたのう」

「へえ、まったく、どうも、近ごろの二本差しは当てにならねえ」

「あの武家は、な……」

「知っていなさるので？」

「うむ」

「いってえ、どこの？」

「ま、よいわ。それよりも彦十。お前は、あの捨五郎の傍《そば》についているがよい。あの傷では当分うごけぬぞ」

「ようござんすとも。捨五郎も、何か言いてえことがあるらしいので」

「お前にか？」

「へえ」

「ふうむ……」

「ときに、お前さまの名は、長谷川伝九郎ということになっていますからね。ようごぜ

えますか」

「ほう。大した名前ではないか。ようもつけた」

「なに、わけもねえことで」

「さて……どうするか……」

裏手に乱れ咲いている夏萩へ目を移した平蔵が、

「彦十。腹が減った。にぎり飯をこしらえてもらえ」

こういって、また両眼を閉じた。

三

相模の彦十が差し出した手紙を、その男が二度三度と繰り返して読む間に雷鳴が頭上へ近づいてきて、たちまち、叩きつけるような雨となった。

その男の名を、

「籠滝《かごたき》の太次郎《たじろう》」

と、いう。

年のころは四十前後で、引きしまった躰つきの、苦味のきいた顔つきだが、籠滝の太次郎の顔には、ほとんど表情というものがない。

脚の傷が重くて身うごきもならぬ高萩の捨五郎の手紙をたずさえ、彦十が、この家《や》へあらわれたのは、あの事件があった翌々日の夕暮れどきであった。

此処は、百姓・辰造の家から北へ二里半ほどはなれた武州・葛飾郡（現・東京都葛飾区）飯塚村にある夕顔観音堂《ゆうがおかんのんどう》に近い松林の中の風雅な家で、以前は何とかいう絵師が住み暮していたそうな。

いまは、伊勢菰野《こもの》の浪人・前田角之助《まえだかくのすけ》の住居ということになっている。

前田角之助は五十六、七の浪人で、七兵衛という老僕と二人きりで、ひっそりと暮しており、近辺の人びととのつきあいはないが、時折、近くの夕顔観音堂へ参詣にあらわれる姿を見れば、いかにも温厚な人物におもわれる。

その前田角之助浪宅の奥の一間で、盗賊、籠滝の太次郎が彦十と会い、高萩の捨五郎からの手紙を読み終えたのだ。

夕立は、ごく短かったが、激しく屋根を叩く雨音が弱まるまで、太次郎はゆっくりと煙草を吸いつづけた。

その間、前にいる彦十を見るでもなく、何となく、ぼんやりとした視線を空間の一点へとどめたまま、一語も発しなかった。

（へっ……薄気味悪い男だ）

相模の彦十は所在なさに、やりきれなくなってきた。

籠滝の太次郎という盗賊の名を、彦十は耳にしたことがなかったが、

「何でも、以前は、北陸道から越中・越後へかけてを縄張りに、荒い盗めをしていると耳にしたことがございます」

と、これは、大滝の五郎蔵が長谷川平蔵へ告げた言葉だ。

彦十が捨五郎から手紙をたのまれたのは、今日の昼ごろのことであった。

捨五郎が留《とど》まっている百姓・辰造の家は、盗賊改方が密《ひそ》かに警護している。

むろん、捨五郎はそれを知らぬ。

で、彦十は手紙を持って外へ出るや、それとなく警戒に当っていた同心・木村忠吾へ、このいきさつを告げ、

「それじゃあ、木村さん。後をたのみましたぜ」

いい置いて、捨五郎が教えたとおりに、籠滝の太次郎へ手紙を届けに行った。

その後で忠吾が、出張っていた平蔵に報告をし、これも見張りに出ている五郎蔵へ、

「籠滝の太次郎を知っているか？」

と、平蔵が尋ねたのである。

そして平蔵は、彦十の後を、すぐさま五郎蔵に尾けさせた。

雨音が弱くなった。

たまりかねた彦十が、

「それじゃあ、これで、ごめんをこうむります。返事はいらねえのでござんすね？」

と、いい出たのへ、太次郎が、

「爺《とっ》つぁん。お前の名は？」

「彦十と申しやすよ」

「盗めをしなさるのか？」

「ええ、まあね……」

「ふうむ……」

太次郎が凝《じっ》と、彦十を見た。

光の消えた、白い眼だ。

くびをすくめた彦十が、

「それじゃあ、ごめんを」

「捨五郎の脚の傷は、そんなに重いのか？」

「へえ」

「いったい、どうしたのだ？」

「さあ、知りませんねえ。わしは今朝方よばれたもので……」

「お前さんが尋ねても……？」

「わけをはなすような捨五郎どんじゃあごぜえません」

「ふうむ……」

捨五郎の手紙の内容を、彦十は知らなかった。

出てくるとき、木村忠吾が平蔵の許へ走って行き、

「その捨五郎の手紙を、いかがいたしましょうか？」

うかがいをたてるや、平蔵は即座に、

「そのまま、彦十へ届けさせるがよい」

と、いったのである。

「帰《けえ》ってようござんすかえ？」

「彦十さんとやら……」

と、何かいいかけた籠滝の太次郎が、ふっと黙った。

彦十は、やりきれなくなって立ちあがり、廊下へ出ようとした。

そのとき太次郎が、

「捨五郎は、いま、何処《どこ》にいるね？」

と、尋ねた。

低いが、まるで彦十へ、

（切りつけてきたような……）

太次郎の声であった。

「さてねえ……」

「知っているのだろう、彦十さん。それでなければ、手紙をたのまれることもできねえはずだ」

「知らねえということにしておきましょう」

彦十は、むしろ、ふてぶてしくなっていた。

（こいつ、嫌な野郎だ。どうも、気にくわねえ）

それればかりではなく、高萩の捨五郎からも、

「いうまでもねえことだろうが、私がいる、この場所を相手に打ちあけないでおくれよ」

と、念を押されていたのだ。

廊下を去る彦十の背後で、籠滝の太次郎の、微《かす》かな笑い声がきこえた。

（へっ、何とまあ、妙な笑いかたをしやがるのだろう）

逃げるように、彦十は外へ出ると、中川沿いの道へ駈けあがって行った。

彦十の腋《わき》の下が、冷たい汗に濡れている。

堤の道を遠去かる相模の彦十を、大滝の五郎蔵が木蔭から見送っていたが、これは身うごきもせず、盗賊どもの隠れ家を見まもっている。

五郎蔵は、彦十の身を護るために後を尾けてきたのだ。

彦十は小走りになっていた。

（あの太次郎という野郎、これまでにも、たっぷりと血の匂いを嗅《か》いできやがったにちげえねえ。それにしてもあいつは油断がならねえぜ。あいつの目つきは執念深え。てめえのいうことを、ちょっとでもきかねえ相手には、牙をむいて飛びかかってくるやつだ）

盗賊どもの隠れ家では、彦十が出て行くと、すぐさま、籠滝の太次郎が配下のひとりに、

「高萩の捨五郎が、このおれを袖《そで》にしやがった。とんでもねえやつだ。ゆるしてはおけねえ。脚に怪我をしたなど、そんな、子供だましに乗せられてたまるか」

「どういたしましょう？」

「いまの爺《じじい》の行先を突きとめて来い」

「合点です」

「その間に、人をあつめておこう」

と、命じている。

雨はあがって、夕焼けの空が浮き出してきた。

四

その夜。

百姓・辰造の家で、相模の彦十は高萩の捨五郎と一つ蚊帳《かや》に寝床を並べていた。

捨五郎は右脚の膝下の骨を少し切り割られてしまい、あれから毎日、医者が通って来て手当をしている。

骨がつくまでは、身うごきもならぬ。

さいわいに辰造父子の傷は浅かったので、

「何よりのことだ」

と、捨五郎は、おのれの傷の痛みも忘れたかのように、

「もしものことがあったら、私が飛び込んだ甲斐がないからね、彦十どん」

「それにしても、よくまあ、おやんなすったね」

「なあに、物のはずみさ。あのときの私は、ちょうどうまく、元気が出たのだよ。人間にはね、彦十どん。日によって、元気なときと臆病なときがあるのだ。あのとき、私が臆病なときだったら、見ぬふりをして何処かへ行ってしまったろうよ」

「いや、それにしても、えれえものだ」

「ときに、夕方から、この家の人たちの声がきこえないようだが……」

「この近くの知り合いの家へ行っているらしい」

「どうして？」

「せまいところに、自分たちがいて、お前さんが落ちつかねえと困るといってね」

「何をいっているのだ。つまらぬ遠慮をするじゃあねえか」

「朝になったら、おかみさんが来るそうだよ」

「かえって、私が面倒をかけることになってしまったねえ」

「ねえ、捨五郎さん」

「え……？」

「あの、籠滝の太次郎というお頭《かしら》だがね」

「ふむ、ふむ……」

「わしあ、嫌えだな、あんなの……」

「私も嫌いだよ」

「ほほう……」

「だから、手紙で、盗めを助《す》けるのをことわったのだ」

「へえ……そ、そうかね」

「二年前に大坂でね、一度、助けたのだが、畜生ばたらきをしやがるので、もう二度と助けまいとおもっていたところ、ある口合人《くちあいにん》を通じて、また、江戸の盗めを助けてくれといってよこしたのだよ」

「江戸で、ね……」

「そうさ」

「どこへ押し込むのだい？」

「それあ、まだ聞いてはいない」

「なるほど」

「ときに、彦十どん。長谷川伝九郎さんは、今日、お見えにならないようだね」

「あのお人は、気まぐれなのだよう」

「それにしても、凄い腕前だった」

「ねえ……」

「なんだい？」

「捨五郎さんは、むかし、わしにいったことがあったね。自分の兄貴を殺《あや》めたと……」

「うむ……」

「どうして、殺めなすったのだ。わしあ、あれからずっと、お前さんをおもい出すたびに、気にかかってならなかったのだよ。お前さんのようなお人が実の兄を、その……」

「たしかに、手をかけた。兄貴は気が狂ってしまってねえ」

「どうして？」

「わからないねえ。急に、狂い出した。もしやすると私にも、気ちがいの血が隠れているかも知れない」

こういって捨五郎は、低く笑った。

「じょ、冗談じゃあねえ」

「気が狂って、父親も、おふくろも、妹も、私も、見さかいなしに殴りつける。近所の人たちを手ごめにする。しまいには刃物をつかんで暴れまわるというわけで……私も若かったし、こりゃあ、もう、兄貴に、あの世へ行ってもらうより仕方がない。それでないと、親たちや妹の命を、ちぢめることになるとおもった」

「……」

「ある晩に、酒をのませて、ぐっすりと眠っているところを、ね……ひとおもいに……」

いいさした捨五郎が、

「う、うう……」

急に、呻いた。

飛び起きた彦十が、

「痛むのかえ？」

「なあに……」

「もっと、冷やさなくてはいけねえ。いま、水を替えよう」

台所から水桶を取り、裏手へ出たとたんに、

「畜生、やって来やがったな」

と、つぶやいた。

裏手の竹藪《たけやぶ》のあたりに、黒い影がうごいたのを見たからだ。

井戸から水を汲むのをやめ、彦十は台所へ飛び込み、戸を閉めて、心張棒を支《か》った。

竹藪の中から飛び出した黒い影は六つであった。

六人とも顔を布で包み、脇差を引き抜いている。

「それ、押し込め。二人とも逃がすな」

裏と表に別れ、戸を蹴破って飛び込もうとしたとき、突如、闇の幕を割ってあらわれた男が三人、これは手に手に棍棒をつかみ、物もいわずに六人の曲者《くせもの》へ襲いかかった。

長谷川平蔵・沢田小平次・小柳安五郎の三人である。

平蔵は、裏口から中へ押し入ろうとする三人の背後へあらわれたかとおもうと、突風のようにうごいた。

「あっ……」

「むぅん……」

「う、うう……」

三人が右に左に、頭を殴りつけられ、ばたばたと倒れる。

表のほうも、小柳と沢田が別の三人を打ち倒し、縄をかけた。

そこへ、木村忠吾や密偵たちがあらわれ、気を失った六人を竹藪の外の道に置いてあった荷車へ積み込み、

「それっ」

たちまちに、何処かへ消えてしまった。

長谷川平蔵は、小柳と沢田へ、

「見張っていてくれ」

と、いい、裏口から、

「おい、彦十。わしだ。開けろ」

「へい、ただいま」

彦十が戸を開けると、台所の土間へ入った平蔵が、

「捨五郎さん。妙なやつどもが押し入ろうとしたので、追い散らしたぜ」

奥へ、声を投げた。

蚊帳の中で、捨五郎は寝たまま、短刀《あいくち》をつかんでいる。

外の物音に気づいたのであろう。

「旦那。重ね重ね、御厄介をおかけ申しまして……」

「何の。わけもねえことよ。ちょうど、わしがやって来てよかったのう」

そのころ……。

与力・佐嶋忠介が《が》指揮する捕方二十名は、中川の岸辺に舟を着け、籠滝の太次郎の隠れ家を包囲していた。

五

籠滝の太次郎以下の盗賊どもが盗賊改方に捕えられたことを知らぬまま、高萩の捨五郎は、辰造の家に五日をすごした。

この間、長谷川平蔵は、わざと、

「また、やつどもが押し込んで来るといけねえから、おれの息のかかった者を置いておこう」

などといい、沢田小平次と木村忠吾を、彦十と共につきそわせた。

沢田も忠吾も、浪人に変装しての市中見廻りには慣れているから、そうなると言葉づかいまで変ってきて、さすがの捨五郎も不審を抱かなかった。

さて、六日目の夕暮れになってから、長谷川平蔵があらわれて、

「どうも、此処では物騒《ぶっそう》だし、傷の手当もはかどらねえ。おれが、いいところを見つけておいた。これから、そこへ移ろう」

と、いった。

「旦那。そんなにまでしていただいては、申しわけがございません」

「なに、おぬしには、むかし、相模の彦十がいろいろと世話になったとな。それを耳にした上からは捨ててもおけぬ」

「あの、旦那と彦十どんとは、どのような？」

「おれが若いころからの古なじみさ」

「さようで……」

小さな荷車の上に、人ひとりが横になれるほどの箱が置かれ、捨五郎は寝床ごと、その中へ運び込まれた。

「途中、揺れるから痛むだろう。その凌《しの》ぎに、これをのんでおくがいい」

平蔵は、父の代からの親交がつづいている表御番医師・井上立泉《りゅうせん》が調合してくれた薬湯を捨五郎にのませておいて、辰造の家を出た。

辰造夫婦と為太郎が見送りながら、どこまでもついてくるのを帰すのに一苦労したものだ。

捨五郎は、彦十がつきそっているので、微塵《みじん》も、平蔵のすることをうたがうことがない。

彦十への信頼が、そのまま、平蔵へむすびついているのだ。

さて……。

捨五郎が服用した薬湯には、眠気をさそう成分がふくまれてい、大川橋を西へわたるころ、捨五郎は眠りに落ちていた。

「これ……これ、捨五郎。目をさまさぬか、これ……」

平蔵に揺り起された捨五郎が、明るい灯が入った部屋を見まわし、

「……？」

怪訝《けげん》な面《おも》もちとなった。

それは、そうだろう。

すでに、捨五郎は清水門外の役宅へ運び込まれ、同心の溜《たまり》部屋に近い一間へ寝かされていた。

ここは武家屋敷である。部屋の造りを見て、捨五郎が不審をおぼえたのもむりはない。

「あの……ここは……？」

「どこだとおもう」

枕元に坐っている長谷川平蔵が、いつもの着ながし姿なのはよいとしても、そのうしろに筆頭与力《ひっとうよりき》の佐嶋忠介が羽織・袴をつけて控えている。

どうも、わからない。

「あの、相模の彦十どんは、どこにおりますので？」

「彦十は、お前に面目がないというので、どこかへ行ってしまったようじゃ」

と、長谷川伝九郎の口調も、これまでとはちがっているではないか。

「私に、何で、面目がないのでございましょう」

「それはな、彦十が、お前の信用を裏切ったからだ」

「え……？」

「彦十は、古なじみのわしのために、お前を裏切ったのじゃ」

「と、申されましても、一向に……」

「いまの相模の彦十は、盗賊改方の密偵なのだ」

「げえっ……」

ここにいたって、高萩の捨五郎は、すべてを察した。

長谷川という姓は、めずらしくもないものだが、その下に平蔵という名がつけば、盗賊の捨五郎が知らぬはずはない。

（そ、そうだったのか……）

捨五郎は、観念の眼を閉じた。

いささかも、うろたえぬ。

その様子を見やった長谷川平蔵が、佐嶋与力へ、

「見よ、佐嶋。捨五郎は、こうした男よ」

「はい」

「いまどきの侍にもあるまい」

立ちあがって、平蔵は、

「ま、彦十をゆるしてやってくれ」

捨五郎は、こたえぬ。

眼もひらかなかった。

「ともかくも、脚の傷を癒《なお》すことじゃ」

この一語を残し、平蔵は廊下へ出て行った。


傷が癒えた高萩の捨五郎が、盗賊改方の密偵になったいきさつについては、くだくだしく書きのべるまでもあるまい。

それからの捨五郎は、杖を手ばなせぬ身となったのだが、何と、その杖を、長官・長谷川平蔵みずからが枇杷《びわ》の木を削ってつくりあげたのである。

これで、捨五郎は、

「いっぺんに、まいってしまった……」

と、彦十に洩らしたそうな。

それはさておき……。

この年が暮れようとする或日《あるひ》のことだが、浪人姿で単独の市中見廻りを早目に切りあげ、役宅への帰途についた長谷川平蔵を路上で見かけた者がいる。

百姓の辰造父子と捨五郎を斬って捨てようとした武家の家来のうち、もっとも腕が立

った若い侍が、平蔵を見かけた。

この侍の名を、清水三弥《しみずさんや》という。

このとき平蔵は、半日もかぶりつづけていた編笠が鬱陶《うっとう》しくなり、役宅も近くなった九段坂下で、笠をぬいだ。

それを、飯田町の方からやって来た清水が見て、

「あっ……」

素早く、右側の武家屋敷の塀の蔭へ隠れた。

ときに七ツ（午後四時）ごろで、日暮れ前の人通りも多かった。

（おのれ……いまに見ろ!!）

平蔵に股間を蹴られて気を失いかけた屈辱《くつじょく》を、いまも清水三弥は忘れていなかった。

清水は、平蔵の後を尾けはじめた。

（彼奴《きゃっ》の居所《いどころ》をつきとめ、若殿に申しあげたなら、どのようにおよろこびなさることか……そうなれば、こちらは弓・鉄砲を使っても、かならず彼奴めを討ち取ってみせる）

長谷川平蔵は、江戸城の濠端を清水門外へ向って、ゆっくりと歩む。

そして、盗賊改方・役宅の表門から入って行った。

と、門番小屋の外に、これも見廻りからもどったばかりの同心・沢田小平次が、浪人姿のまま、非番の門番と何やら語り合っていたので、

「これ、沢田」

「あ、お帰り……」

「急げ。門の向うの濠端に、おれを尾けて来た若い侍がいる。引っ捕えて、おもうさま叩きのめした後で、連れてまいれ」

「はっ」

一方、平蔵を尾けて来た清水三弥は、

(はて……？)

自分たちをひどい目にあわせた浪人が、大きな武家屋敷へ入ってしまったので、濠端に立ちつくしている。

(いったい、何者……？)

役宅には、別に盗賊改方の表札《ひょうさつ》が懸《か》けてあるわけではないので、清水は咄嗟にわからなかったのだ。

そこへ、すっと門から出て来た別の浪人が清水の目の前を通りすぎた。

通りすぎたとおもったら、急に振り向きざま、清水へ躍りかかった。

「あっ、何を……」

叫んだが、どうにもならぬ。

清水も、かなり剣術はやったほうだが、小野派一刀流の達人・沢田小平次の手にかかってはたまったものではない。

沢田は、いきなり清水の襟元《えりもと》をつかみ、腰に乗せて投げ飛ばした。

「うぬ!!」

怒って半身を起し、大刀を引き抜きかけた清水の顎《あご》を、沢田小平次がおもいきり蹴った。

「うわ……」

仰向けに倒れた清水の上へ乗りかかり、大小の刀を引き抜くや、これを沢田が左腕に抱え、右手で清水の襟くびをつかみ、役宅の門内へ引き摺《ず》り込んだ。

「どうしたのだ？」

「何だ、こやつは？」

と、木村忠吾など、四、五人の同心たちが駈けつけて来た。

鼻血をながし、ふらふらとなった清水三弥は、役宅の玄関へ引っ立てられた。

玄関の式台に立って、これを迎えた長谷川平蔵は、

「これ、おのれは此処を何と心得ているか」

声も出ぬ清水に、

「ここは火付盗賊改方の役宅であるぞ」

清水が驚愕《きょうがく》した。

「わしは、長谷川平蔵じゃ」

「う……」

「天下の旗本の家来が、さほどのことも知らぬか。主《あるじ》も主なれば家来も家来じゃ。おの

れの主は、将軍家の御側近くに仕える七千石の旗本、戸田肥前守《とだひぜんのかみ》様であろう。また、この夏、おのれが供をして、川向うの秋葉大権現の近くで、百姓父子と、これを助けようとした男を理不尽《りふじん》にも殺害しようとした若侍は、肥前守様の跡継《あとつ》ぎ伊織《いおり》と判明しているぞ」

「あ……」

「よいか。あの折のことが上《かみ》へ知れなば、七千石の戸田家とて、どのようなお咎《とが》めがあるやも知れぬ。この長谷川平蔵は、二度と見逃さぬと、肥前守様へおつたえせよ」

清水三弥は虚脱《きょだつ》したごとく、その場へくず折れた。

「こやつを、つまみ出せ」

同心たちに引き立てられ、門外へ突き出された清水の大小の刀は、沢田が返してやった。

それにしても、同心たちはおどろいた。

戸田肥前守は、いまも、御側衆の一人である。

この役目は、幕府最高の役職である老中も、

「一目を置く……」

ほどで、将軍の高級秘書官といってよい。

そうした権勢をもつ人物に対し、四百石の長官が一歩も退かぬきびしい言葉をあたえたわけだから、一同、いまさらながら平蔵の肝のふとさに瞠目《どうもく》してしまった。

「なに、ほんらいならば、あの場で、肥前守様のせがれめを引っ捕えてもよかったのじゃ」

と、平蔵は、夕餉の前の酒の相手を佐嶋忠介にさせながら、

「なれど、わしも人の子よ」

苦笑を浮かべた。

「と、おおせられますのは？」

「いや、なに。むかし、わしの父が、戸田肥前守様には、なみなみならぬ御世話になったことがあってのう」

「さようで……」

「ま、いま少し、様子をみることにしよう。尚も、あのせがれめの心がけがあらたまらぬときは、世の害毒となる。そのときは、わしもゆるさぬ」

「それにしても、よう、おわかりになりましてございますな」

「せがれめの面は、わしも見知っている父の肥前守様に瓜二つじゃ。そこで、見廻りのついでに彦十をつかって調べてみたところ、まさに、戸田家の跡取り息子であったわ」

「いささかも存じませせず……」

「なに、わしの胸ひとつにおさめておくつもりであったが、今日は、あの家来めが後を尾けてまいったので、折もよし、先ず、いましめてやった」

「なれど、御言葉が肥前守様のお耳へ達しましょうか？」

「達すまいよ」

「やはり……」

「なれど、せがれめの耳へは入るであろう」

長谷川平蔵は盃を口にふくみ、

「いくらかでも、薬が効いてくれればよいが……」

祈るように、つぶやいた。

助《すけ》太《だ》刀《ち》

細井彦右衛門《ほそいひこえもん》が、痩《や》せさらばえた両腕で虚空《こくう》を掻き毟《むし》っている。

もはや、ありありと死相が浮いた土気色の顔が苦悶《くもん》にゆがみ、乾《かわ》いた唇《くち》からは血がしたたり落ち、顎《あご》から喉《のど》を伝い、あばら骨が浮き出した胸へ糸を引いていた。

「死ぬな。彦右衛門殿、しっかりなされ」

よびかけつつ、長谷川平蔵は懸命に駈け寄ろうとしているのだが、走れども走れども、近づけぬ。

それでいて、彦右衛門の顔は、すぐ目の前にあるのだ。

と……。

細井彦右衛門が怪鳥《けちょう》のような絶叫をあげ、目や口から、おびただしい血汐を噴き出しはじめた。

「あぁっ……」

これを見て驚愕《きょうがく》した平蔵も、おもわず叫び声をあげた。

その、おのれの叫び声に、平蔵は目ざめたらしい。

(ゆ、夢であったか……)

平蔵は、臥床《ふしど》の上に半身を起した。

顔も躰も、冷たい汗で気味悪く濡れている。

寝間の中には、あかつきの闇がたちこめ、まるで、海の底にでもいるような感じがする。

立ちあがり、奥庭に面した雨戸を少し開けると、そこはかとなく、冷気がながれ入ってきた。

夏は、まだ去ったわけではないが、何といっても朝晩はちがってきたようだ。

臥床へもどり、腹這《はらば》いになって、われながら、

(行儀の悪い……)

と、おもう悪習を、いまだに絶ち切れぬ長谷川平蔵は、亡父遺愛の、後藤兵左衛門作の銀煙管《ぎんぎせる》で、朝の寝煙草をやりはじめた。

平蔵の顔色《がんしょく》は冴えない。

（嫌な夢を見た。不吉《ふきつ》きわまる……）

どうも、おもしろくない。

このところ、日々が多忙で、三月ほど細井彦右衛門を見舞っていないだけに、夢の中で凄まじい姿を見せた彦右衛門のことが、気にかかってならぬ。

細井彦右衛門は、平蔵より十六、七も年下の旗本（六百石）で、いまは何の御役目にもつかず、労咳《ろうがい》（肺結核）という厄介な病気にとりつかれた身を、芝・二本榎の自邸に養《やしな》っている。

長谷川平蔵が、常々、何かと彦右衛門の身を心配するのは、なみなみならぬ好意を抱いているからでもあるが、一つには彦右衛門の亡父・細井光重《みつしげ》より恩誼《おんぎ》を受けていたからだ。

若き日の平蔵の無頼放埒《ぶらいほうらつ》については、これまでに何度ものべておいたが、ほとんど勘当同然の身だった平蔵を、こころから庇《かば》い、面倒を見てくれたのが細井光重であった。

長谷川・細井の両家は、父親どうしが同じ御役目に就いていたこともあり、まことに親交が深く、平蔵も細井家へ遊びに行き、当時は生まれて間もなかった彦右衛門を抱き、庭へ出て守りをしてやったこともある。

「銕三郎《てつさぶろう》。ま、落ちついておれ。そのうちに何も彼も、うまく運ぶようになろう」

と、細井光重は、父と義母の間にはさまり、自分ゆえの両親の不和に堪えかねて屋敷を飛び出した平蔵へ、小づかいをあたえたり、なぐさめたりしてくれた。

若い多感な年ごろだっただけに、いまもって平蔵は、光重の恩誼を忘れがたい。

この日。

朝餉《あさげ》もそこそこに、長谷川平蔵は二本榎の細井屋敷へ向った。

いつもの市中見廻りではない。

夏羽織と袴をつけ、馬に乗った平蔵は塗笠をかぶり、単騎、役宅を出た。

(あのような夢を見たのは、何ぞ、虫の知らせというものか……)

それならば、彦右衛門の病状が急に悪化したことになる。

平蔵が彦右衛門を見舞うときは、途中、新銭座に住む幕府の表御番医師・井上立泉《りゅうせん》方へ立ち寄り、高価な薬をととのえてもらうのを常としている。

だが、今日ばかりは不安が募《つの》るままに、平蔵は寄り道をせず、二本榎へ急いだ。

一

長谷川平蔵が、二本榎(現東京都港区白金台)の細井屋敷へ到着をしたのは、まだ四ツ(午前十時)前であった。

騎乗《きじょう》だったし、こころ急《せ》くままに道をいそいだからだ。

細井彦右衛門は、

「これは、これは……よくこそ」

にこやかに、平蔵を迎えた。

労咳は、当時、死病といわれたほどで、彦右衛門が全快したわけではないけれども、夏の盛りを乗りきって、今日は気分もよいらしく、臥床にも入っていない。

平蔵は、ほっと安堵《あんど》のためいきを吐いた。

「いかがなされた?」

と、彦右衛門。

「いや、何……」

昨夜の、あの恐ろしい夢を、彦右衛門に語る必要はない。

「役目の事あって、近くへまいったので……」

「それは、かたじけのうござる」

「それゆえ、いつもの薬を今日は持参しておりませぬ」

「何の。そのように、いつも、お気づかいをなされては却っていたみ入る」

彦右衛門は無役《むやく》ながら、平蔵より禄高《ろくだか》も上だし、それに亡き細井光重への敬慕をふくめて、平蔵が彦右衛門に対する態度は、まことに慇懃《いんぎん》であった。

「御役目も、日々、大変でござろう」

「いや……それよりも今日、あまりにも長らく無沙汰をいたしたので、彦右衛門殿のお顔を見るだけにと存じましてな。近きうち、出直してまいる」

腰をあげかける平蔵を、

「ま、そのように申されな」

彦右衛門夫妻が、

「せめて、昼餉《ひるげ》なりと……」

しきりに、すすめる。

細井夫妻は、平蔵の訪問が何よりもうれしいのである。

彦右衛門の跡つぎで、八歳になる一人息子の幸太郎も、平蔵がしばらく見ぬ間に背丈ものび、すこやかに成長しつつあった。

「労咳は死病と、きめつけたものでもない。病人の心がけしだい、療養しだいで、長生きができぬことはない」

いつであったか、井上立泉が洩らした言葉を想い起した平蔵が、

「御気分もよいようでござるな」

「この夏も、どうやら乗り切ってござる」

「何より……何よりのこと」

「かたじけない」

心づくしの昼餉をよばれ、長谷川平蔵が細井屋敷を出たのは、かれこれ八ツ（午後二時）になっていたろう。

騎乗の平蔵は、二本榎の通りを北へすすむ。

突当りが細川越中守《えっちゅうのかみ》の中屋敷の角で、道が二つに別れていた。

一は、右へ曲って伊皿子《いさらご》から聖坂《ひじりざか》を下り、三田へ出る。この道すじを平蔵が今朝、

通って来た。

一は、左へ折れ、しばらくして二つに別れ、左すれば白金台町を経て目黒へ……右すれば相模殿橋《さがみどのばし》を経て麻布へ通じている。

平蔵は、

(帰りはついでのことに麻布から赤坂へぬけてみよう。あの辺《あた》りを、しばらく見廻っておらぬゆえ……)

と、おもいたった。

そこで、細川屋敷の角を左折した。

このあたりは大小の寺院が密集しており、前方右手に鬱蒼《うっそう》とした木立がのぞまれる。

そこは「樹木谷《じゅもくだに》」などとよばれていて、ずっとむかしには「地獄谷」といわれ、幕府《こうぎ》の斬罪場があったという。

崖下の雑木林がそれで、いまは住む人も家も、ほとんどないように見える。

そこを右折して樹木谷の崖上の道を北へ行くと、左は寺院と武家屋敷の塀が長々とつづいてい、右側には、木立の中に藁《わら》屋根の民家がちらほらと見える。

朝夕はさておき、日中の日ざしは相当に強い。

木立に、法師蟬《ほうしぜみ》が鳴きしきっている。

伊皿子から白金台町への道すじは人通りも少くないが、樹木谷から麻布へぬける、この道には町家もないし、したがって、あまり人影も見えぬ。

崖下に、沼と小川が見えた。

沼のほとりに小さな藁屋根の家があり、その家の裏手から飛び出して来た浪人らしい男が、

「ばか、ばか、ばかもの」

叫びながら、水中を泳ぐような恰好《かっこう》で出て来たかとおもうと、沼のほとりに茂る夏草に足をとられ、尻餅をつくのが、馬上の平蔵に見えた。

(何をしているのか……?)

馬を停《と》めた平蔵は、浪人者につづいて家から駈けあらわれた女に気づいた。

「ひ、卑怯もの……嘘つき……」

女も叫びながら、右手を振りまわしている。

女の手に何か光った。

薪を割る鉈《なた》であった。

女は、鉈を振りかざし、草の中からよろめき立った浪人へ飛びかかった。

「何をする。ばか女」

浪人は鉈を奪い取り、女を突き飛ばした。

女は倒れ伏し、泣声をあげる。

鉈を沼の中へ投げ込み、浪人は崖の上の道へのぼって来ようとして、馬上の長谷川平蔵に気づいた。

このとき平蔵は、酒に酔った浪人の顔を正面から見て、

（や……？）

いささか、おどろいた。

二十余年ぶりに見る顔ではないか。

長い歳月に変貌をしてはいても、忘れるはずがない。

顔いっぱいの、薄い痘痕《あばた》が何よりの証拠だし、濃い眉も、二つの穴が空を見あげている太い鼻も、むかしのままだ。

横川甚助《よこかわじんすけ》であった。

横川のほうは、塗笠をかたむけ、馬上から見おろしている平蔵の顔がよく見えなかった。

しかも、女との争いを見られてしまったと気づき、さすがに顔をそむけるようにして、樹木谷の方へ立ち去った。

女は、まだ、草の中に泣き伏している。

笠の内で、平蔵は苦笑を洩らした。

（甚助め。おそらく四十をこえているはずだが、五つ六つは若く見えたわ。彼奴《きゃっ》め、何をしていることやら……？）

苦笑が消えぬままに、平蔵は馬首《ばしゅ》をめぐらし、前方をひょろひょろと行く横川甚助の後を尾《つ》けた。

甚助が、樹木谷の角を左へ曲った。

平蔵は、最寄《もより》の西照寺《さいしようじ》という寺へ入り、身分をあかし、馬をあずけ、ついでに夏羽織と袴と白足袋を手早くぬぎ、これも寺へあずけ、着ながし姿に塗笠をかぶって道へ走り出た。

二本榎への曲り角まで来ると、伊皿子の方へ蹌踉《そうろう》と歩む横川甚助の後姿が見えた。

歩みをゆるめた長谷川平蔵の、笠の内の苦笑は、まだ消えていない。

二

横川甚助は剣客である。

いや、すくなくとも二十年前までの彼は、剣客といってよかった。

甚助の亡父は、上総《かずさ》・関宿《せきやど》の浪人であったそうな。

長谷川平蔵の恩師で、本所・出村町に一刀流の道場をかまえていた高杉銀平の許へ、横川甚助が身を寄せるようになったのは、いつのことであったろう。

平蔵も、さだかにはおぼえていない。

甚助は、高杉先生の古い知人からの添え状を持ってあらわれたらしい。

そのころの横川甚助は、平蔵や岸井左馬之助の相手には、とてもなれなかったが、若い門人たちへは結構、稽古をつけてやるだけの腕前があったものだ。

さよう、盗賊改方の同心・木村忠吾などよりは、

「ずっと、増し……」

であった。

顔には天然痘《てんねんとう》の痕《あと》があっても、愛敬《あいきよう》のある顔つきゆえ醜い感じはせず、性格も明るかったし、高杉銀平も、

「何かと、重宝なやつ」

気に入っていたようだ。

高杉道場へ住み込み、門人たちの稽古相手をつとめるばかりではなく、骨身を惜しまずに掃除もする、高杉先生の使い走りもするし、先生の晩酌の相手がすむと、肩や腰を揉《も》むといったあんばいで、先生も目をかけ、小遣いをやったり、

(そのうちに身が立つようにしてやろう)

と、考えていたようである。

当時、道場には、お吉《きち》という四十すぎの寡婦《かふ》が住み込んでいて、高杉銀平の身の廻りから家政をもまかされていたが、このお吉にも、横川甚助は気に入られていた。

甚助の単衣《ひとえ》を縫い直してやっているお吉の姿を、夏の或日《あるひ》に平蔵は見たことがある。

しかし、岸井左馬之助は、

「どうも、甚公は気にいらん」

しきりに、そういったが、平蔵は、

「左馬は選《え》り好みが強すぎる。ああした男が、いつも先生のお側についていてくれるな

ら、便利しごくではないか」

「そうかなあ」

「そうだとも」

ところが、高杉道場へ住みつくようになってから一年半ほど後の或日に、横川甚助は、突然、姿を消してしまった。

そのとき、お吉が銀平からあずかっていた金十二両余の金を甚助が盗んで逃げたというので、

「ほんに畜生め。見損なった」

と、お吉が激怒したそうな。

岸井左馬之助も、平蔵をつかまえて、

「それ見ろ、銕《てつ》さん。いわぬことじゃあない」

顔を顰《しか》めて見せたが、何しろ、若いころの長谷川平蔵は、相模の彦十のような盗賊と仲よくなったり、無頼のかぎりをつくしていたわけだから、甚助の所業など、

(格別に、悪事をはたらいたというほどのこともない)

わけであって、左馬之助には取り合わなかった。

高杉銀平も、

「お上《かみ》へ届け出なくては……」

と、息巻くお吉へ微笑しつつ、

「ま、ほうっておけ」

「ですが、先生……」

「甚助が、また、もどって来たら中へ入れてやれよ」

「じょ、冗談じゃありませんよ、先生」

「人という生きものは、だれしも多かれ少かれ、悪事をはたらいているものさ」

「じゃあ、先生もでございますかえ？」

お吉が突込むと銀平は事もなげに、

「ああ、そうとも」

と、こたえたそうだ。

横川甚助は、道場へもどらなかった。

そして、二十余年の歳月がすぎた今日、長谷川平蔵が甚助と出会ったことになる。

平蔵の尾行には気づかず、甚助は三田台町一丁目の細い道を左へ入って行く。

その左側に〔槌《つち》や〕という煮売り酒屋があった。

まわりには、びっしりと寺院がたちならんでいるが、それだけに客も多い。つまり、寺院に囲まれていれば、夜になると人目にもたたぬし、近くの大名・武家屋敷の渡り中間《ちゅうげん》などが酒をのみに来るには絶好の場所といってよい。そうした連中が槌やに繁盛をもたらしているわけであった。

三尺の通路をはさんで、両側は合わせて十坪ほどの入れ込みになってい、粗末な木製

の衝立《ついたて》がところどころに置かれ、席を仕切っている。

横川甚助は、板場との境の、入れ込みの奥へあがり込み、酒をのみはじめた。

板場から亭主が出て来て、甚助といっしょにのみはじめる。顔なじみの店なのだ。

長谷川平蔵は、少しはなれた衝立の蔭へ坐り込み、小女に酒をたのんだ。

遅れて入って来た平蔵を、甚助はちらりと見たが、そのときは平蔵、まだ塗笠をぬいでいなかったし、先刻とは打って変った着ながしの平蔵が、よもや、あの羽織・袴で馬に乗っていた武家だとはおもっていない。

小ぶりの茄子《なす》の糠漬《ぬかづけ》に練り辛子《がらし》をそえたものと、酒が運ばれてきた。この茄子が意外にうまい。

戸障子は開け放してあり、そこから冷んやりとした風がながれ込んでくる。

(これは、よい)

平蔵は俄然《がぜん》、おもしろくなってきて、盃を口へふくんだ。

沼のほとりで、横川甚助と争っていた年増女が髪をふりみだして駈け込んで来たのは、それから間もなくのことであった。

女は、いきなり甚助へつかみかかり、

「何をしゃあがる」

立ちあがった甚助に突き飛ばされると、

「か、敵討ちの約束がまもれぬなら、わたした金を返せ、返せえ!!」

白眼《しろめ》をつりあげて叫んだ。

三

怒り狂い、口汚なく男を罵《ののし》っている女の顔が、美しいものであるはずがない。だが、いま、長谷川平蔵の眼前で、横川甚助に突き飛ばされてはつかみかかり、蹴倒されては噛《かぶ》りついてゆく女の顔を衝立の蔭から見やって、

（ふうむ、なるほど……）

平蔵は、いささか意外の感がした。

年のころは二十七、八に見えた。

美女というわけではないのだが、怒りにまかせた双眸《りょうめ》が黒ぐろと輝き、抜けるような白い肌の、顔から喉元へかけて昂奮の血の色が鮮かに浮きあがり、

「畜生、畜生……」

と、甚助へ噛りついてゆく双腕《もろうで》、肩、腰のうごきが開《はだ》けかかった縮《ちぢみ》の単衣《ひとえ》から食《は》み出すかたちとなって、何とも激しく色めいている。

店の亭主も割って入ることを忘れたかのように、あんぐりと口を開けたまま、固唾《かたず》をのんで女を見つめているのみだ。

甚助と女が揉み合っていたのも、ごく短い間のことで、

「ええ、もうこれまでだ」

癇癪《かんしやく》を起した横川甚助が、女の顔を二つ三つ張り殴ったかとおもうと、通路にぬいであった自分の草履をつかみ、外へ飛び出して行った。

女は、これを追わんとしたが、息を切らしてしまい、戸口に近い入れ込みの一隅へ伏し倒れた。

白い肩が襟元から露出し、大きく喘《あえ》いでいた。

「亭主。これへ置くぞ」

勘定を置き、長谷川平蔵も外へ出た。

三田一丁目の通りを、小走りに引き返していく丸腰の甚助の後姿が見えた。

塗笠をかぶりつつ、平蔵は後を追った。

甚助は、樹木谷の崖道を右へ曲り、先刻、女と争いながら出て来た家へ入って行った。

木蔭に身を寄せた平蔵が見ているとも知らず、甚助は、すぐにあらわれた。

大小の刀を差し込み、何やら懐ろの中へねじこみながら沼のほとりをまわって、こちらへやって来る。

女が駈けもどって来ぬうちに、

(逃げ出すつもりらしい)

と、平蔵は看てとった。

刀を取りに来たところをみると、甚助は、この家で女と共に暮していたらしい。

甚助は崖へあがって来て、平蔵が身を寄せている椎の木の傍を通りぬけようとした。

「おい」

声をかけた平蔵が、右手に甚助の腕をつかみ、左手に笠をあげて顔を見せた。

「な、何をする？」

「甚助。おれの顔を見忘れたか」

「……？」

「本所の銕《てつ》だよ」

「あっ……」

わかったらしい。

むかしの本所の銕が、いまを時めく火付盗賊改方の長官・長谷川平蔵であることも、横川甚助はわきまえていた。

「こ、これは、どうも……お久しぶりで……」

へ、へ、へどもどと頭を下げるのへ、

「おい」

「は……？」

「いましがた、槌やという煮売り酒屋に、おれがいたのを知らなかったのか」

「げえっ……」

甚助の顔が、火鉢の灰のような色に変った。

「おどろいたか」

「う……」

「こっちへ来い」

甚助の腕をつかんだまま、平蔵は道を横切り、西照寺の裏門から境内へ入って行った。

女は、まだ、引き返して来なかった。

西照寺の境内は広い。

深い木立を背にした本堂の裏手へ、甚助を引っ張って行き、

「あの女は、何だ？」

「いえ、別に……」

「おい」

「は……？」

「いまのおれは、むかしの鉄三郎ではないぞ。わかるか、わかるな？」

「わ、わかります」

甚助は、すっかり観念してしまったようだ。

「よし。では尋《き》こう」

「な、何をですか？」

「あの女は、お前の何だ？」

「何だというて、その……つまり、その、女房のようなものでして……」

「ようなもの……？」

「はあ。ですから、つまり、その、犬も食わぬ夫婦喧嘩《げんか》のようなものでしてな」

「これ甚助。お前は、女との約束をまもらなかったらしいな。敵討ちの約束を、な」

甚助が、目を伏せた。

「いや、それはその、冗談なのでして……」

「冗談で女が鉈を振りまわすか」

「そ、そこまで……」

そこまで見られてしまったのかと、横川甚助は、がっくりと肩を落した。

「これ、よく聞け。お前は、むかし、高杉銀平先生の許を出奔した折に、たしか……うむ、たしか十何両かの金を盗んで逃げたな」

「そ、そんな、むかしのことを……」

「黙れ!!」

大喝《だいかつ》されて甚助が、まるで瘧《おこり》が起ったようにふるえ出した。

「むかしもいまもない。盗みは盗みじゃ。盗賊改方として見逃しにはできぬ」

その途端に、突然、横川甚助が身をひるがえして逃げにかかった。

もとより平蔵に油断はない。

背を向けて走り出そうとする甚助の大刀の鞘をつかみ、

「ばかめ」

ぐいと拈《ひね》った。

「あっ……」

たまらず、横転する甚助の腰を踏みつけた平蔵が、

「おのれ、ずいぶんと腕が鈍《なま》ったな」

「ご、ごかんべんを……ひらに……」

「ならば、女とのいきさつを白状するか、どうじゃ」

「いたします。い、いたします」

四

寺僧の知らせを受け、本堂の裏へあらわれた西照寺の和尚のすすめで、長谷川平蔵と横川甚助は庫裡《くり》の一間へ案内をされた。

甚助が、あの女……お峰と知り合ったのは、一年ほど前のことだそうな。

そのとき、甚助は、目黒不動の境内で酒に酔った男三人に絡《から》まれ、難渋《なんじゅう》をしているお峰を見かけ、酔漢どもを追い散らしてやった。

いかに腕が鈍ったとはいえ、そこは横川甚助も剣客の端くれだった男ゆえ、刀も差していない土地《ところ》の酔いどれどもが三人いたところで、追いはらうのはわけもなかった。

「ばかものめが!!」

とばかり、三人を殴りつけ、投げ飛ばしてしまった甚助を凝《じっ》と見ていたお峰が、

「かたじけのう存じます。お礼のしるしと申しては不躾《ぶしつけ》でございますが……」

こういい出て、目黒不動裏門前の〔伊勢虎〕という料理屋へさそったものである。

「さそわれてみると、その、わるい気もいたしませぬ。長谷川様もごらんのように、妙にその、色気がございましてな」

「色気のことなど、どうでもよい。それから、どうした？」

伊勢虎の離れで、お峰は甚助へ酒をすすめていたが、しばらくして、かたちをあらため、

「あなたさまのお強いのを見込んで、お願いがございます」

と、切り出した。

「お峰の父親は、三河・岡崎の浪人だったそうでございますが、小金もあり、お峰は何不自由なく育てられたそうで……で、この父親が病死をした後に、お峰は母親と共に暮しているうち、この母親が、市口又十郎《いちぐちまたじゅうろう》という浪人とねんごろになりましてな」

「ふむ……」

「お峰は、それが嫌でたまらなかったと申しますが、この市口め、実は、お峰の父親が遺《のこ》した小金が目当だったわけで、ある日、お峰が留守中に、母親を殺害して消え失《う》せたので……」

「その市口が手にかけた証拠があるのか？」

「お峰が家へもどったとき、母親は、まだ息があって、市口の名を告げてのち、死んだと申します」

「ふうむ……」

「その後、何分にも女ひとりゆえ、料理屋の座敷女中をしたり、人の囲いものになったりしながらも、お峰は何としても母親を殺害した市口又十郎への恨みを忘れがたく、市口を探しつづけていたわけでしてな」

「そのうちに、お前と出会ったのじゃな？」

「はあ……ま、そうしたわけなので……」

「で、その市口又十郎とやらの居所は、いまだ知れぬのか？」

「そ、それが、その……」

「知れたのか？」

「う……」

「知れたのだな」

「は、はい。お峰が偶然に、三月ほど前に麻布の二ノ橋のあたりで見かけまして……」

「後を尾けたか？」

「さようで……」

「市口は何処《どこ》にいる？」

「麻布の宮下町に、剣術の道場をかまえていたそうで……」

「ほう。剣客であったのか……」

「はあ……」

「それで？」

「それで、と申されますと？」

「お前、助太刀をたのまれたのではなかったのか」

「さようで……」

「助太刀をするかわりに、女は、お前に肌身をゆるし、一つ家に住まわせて、小遣いにも不自由をさせなかった。そのとおりであろう、どうじゃ」

「は、はい……」

横川甚助の総身は、冷汗に濡れつくしている。

「お前は、市口又十郎を見に行ったか？」

「み、見ました」

「すると、一時は敵を討ってやるつもりだったのじゃな」

「そのとおりで……」

「だが、市口の道場を探りに行き、市口が門人に稽古をつけているところを見て、これは、自分の手に負えぬとおもうたのか」

「面目しだいもありませぬ」

「それでも尚、女の家にとどまっていたのは、あの女の肌身にみれん
があったのであろう」

「う……」

何から何まで見通されてしまい、甚助は返す言葉もない。

「それに、いま一つ」

「は……？」

「ふところの物を此処《ここ》へ出せ」

「いえ、何も、入ってはおりませぬ」

するると平蔵が、ひたと視線を甚助の眼へ射つけたまま、むしろ、やんわりとした口調で、

「隠しても、むだじゃ。先刻、家へ刀を取りに引き返したとき、ついでに女の金も、ふところへ入れたであろう」

こういって、しずかに煙草入れから煙管を出した。

いつしか、淡い夕闇がただよいはじめ、庭で蜩《ひぐらし》が鳴きしきっている。

「も、申しわけございませぬ」

蚊が鳴くような声になって、横川甚助が、ふところから手ぬぐいに包んだものを平蔵の前へ置いた。

中には、およそ七両ほどの金が入っていた。

「これ、甚助」

と、長谷川平蔵が煙草のけむりを吐いて、

「おのれが女との約束を果すというなら、前後二つの罪をゆるしてやろう。嫌だと申す

なら役宅へ引っ立て牢へ押しこめるが、どうじゃ」

「は、長谷川様……」

「どうじゃと尋いておる」

「う……」

「返答をいたせ」

「や、やります」

「やるか、敵討ちを……」

「し、仕方もございません」

「うむ」

にっこりとした平蔵が、

「それでよし」

と、うなずいた。

五

市口又十郎の道場は、麻布の暗闇坂《くらやみざか》の下にあった。

新堀川へそそいでいる小川を背にした小さな道場で、表の道から奥へ入ったところの竹藪の中に通路がある。

これより東へ行くにつれて町家も増え、店屋もたちならんでいるのだが、宮下町の外

れの、このあたりは窪地も多いし、むかしから木立や竹藪が残っていた。

市口道場は板屋根の粗末なもので、二十坪ほどの道場一つきりである。そこで稽古もし、夜になれば独り身の市口又十郎が寝床を敷きのべて眠る。

稽古に通って来る門人も少いらしい。

さて……。

この日の夜に入って、長谷川平蔵と横川甚助が市口道場の前へ姿をあらわした。

平蔵は、まだ、役宅へもどっていない。

西照寺で甚助と共に夕餉を馳走になってから、馬も羽織・袴も寺へあずけたまま、麻布へやって来た。

西照寺を出て、崖上の道から、お峰の家を見ると、灯りがついている。

「や……もどってまいったようです」

甚助が、ほっとしたようにいったものだ。

さすがに、気になっていたのであろう。

「ともかくも、この金を、お峰へ返してまいります」

という甚助へ、

「さようなことは、敵を討ってからにするがよい」

平蔵は、ゆるさなかった。

いまは甚助も、

「もしも、おのれが危《あやう》いときは、わしが助太刀をしてやろう」

平蔵の、その言葉にすがりつくよりほかはなかった。

西照寺で借り受けた提灯《ちょうちん》を手に、先へ立って行く横川甚助の後ろから、長谷川平蔵は、さも、

（おもしろくてたまらぬ……）

とでもいいたげな顔つきで歩む。

「久しぶりで、お前の太刀さばきを、とくと拝見させてもらおう」

とか、

「好きな女のためにすることじゃ。しっかりやれよ」

とか、緊張の極に達している甚助をからかいながら、麻布へやって来たのである。

「この道場か？」

「はい」

いま、二人は竹藪の中に立っている。

道場には、表口も裏口もない。

板戸を引き開ければ、そこが道場であり、市口の住居なのだ。

戸が二枚ほど開けはなたれ、そこから味噌汁のにおいがただよってきた。

市口又十郎が、味噌汁をつくっている。

胸毛の濃い、六尺に近い堂々たる体軀に下帯一つをつけたのみで、市口は飯を炊き、

汁を煮て、これから夕餉にとりかかろうとしていた。

顔も躰も日に灼《や》けて浅黒く、大きな両眼が、その黒い顔の中に光っている。総髪を無造作に後ろで束ね、何やら知らぬが低くて太い声で唄をうたっているようであった。

（こんな男が、まだ、江戸にもいたか……）

戸口から、中をのぞいて見て、平蔵がくすくすと笑うと、

「だれだ？」

道場の一隅にある土間から、ぬっと立ちあがった市口又十郎へ向けて、

「それ行け」

平蔵が、横川甚助の背中を突き飛ばした。

「何だ、きさま……」

渋団扇《しぶうちわ》を手に、寸鉄も帯びぬ市口が不審そうに甚助を見やった。

「わしは、横川甚助という者だ」

「ふうん……」

「義によって、敵を討つ」

「かたきだと……何のことだ？」

「きさまは、以前、お峰の母親を殺害した。わしは……わしはな、お峰に代って敵を討つ」

市口又十郎は、呆気《あっけ》にとられていたが、横川甚助が刀の下緒《さげお》を外して肩へまわすのを

見るや、

「おい、待て。待てよ、おい」

「刀を取れ」

かっと頭に血がのぼった甚助が、大刀を抜きはらった。

「待てというたら待たんかよ、おい」

「か、刀を取れ。抜け、抜け!!」

「おれは、なるほど、お峰という女は知っているが、お峰の母親なんぞ、すこしも知らぬわい。あの女に母親がいたのか？」

「うるさい!!」

たまりかねた甚助が一気に間合《まあい》をせばめざま、

「やあっ!!」

猛然と、市口へ斬りつけた。

腕は鈍っても、そこは、むかし取った杵柄《きねづか》というやつで、その打ち込みの呼吸は悪くなかった。

しかし、横ざまに身を投げるようにして、これを躱《かわ》した市口又十郎が、二転三転と道場を転がって行き、木太刀をつかみざま、はね起きたのへ、

「うぬ!!」

追いせまった横川甚助が二の太刀を打ち込んだ。

市口は片膝を立てたままで、甚助の刀を打ちはらうと、これがまた、すばらしいちからがこもっていて、

「あっ……」

甚助は大刀を放り落し、のめるようによろめいた。

「こいつめ!!」

憤激《ふんげき》した市口又十郎が、立ちあがって木太刀を振りかぶり、甚助の頭上へ打ち込もうとしたとき、

「待て!!」

戸口の蔭から道場へ入った長谷川平蔵が、

「横川甚助の助太刀をする」

「きさま、何者だ!!」

叫びざま、市口は身をひるがえし、一段高い長四畳へ飛びあがり、大刀をつかんだ。

「まいるぞ」

声をかけて平蔵が、相州《そうしゅう》綱広《つなひろ》二尺二寸四分の銘刀をゆっくりと抜きはらった。

「む!!」

市口も同時に抜き合わせ、野獣が獲物《えもの》へ飛びかかろうとするように身を屈《かが》め、大刀を脇構えにした。精悍《せいかん》そのものである。

横川甚助は刀をつかみ、平蔵があらわれたので勇気百倍したらしく、

「いさぎよく、討たれてしまえ」

などと、喚《わめ》きはじめた。

「引っ込んでいろ」

と、平蔵が背後の甚助へ、

「なさけないやつめ」

「は……」

「退れ。退っていろ」

「は、はい……」

平蔵は綱広の一刀を、だらりとひっさげたまま、市口を見据えている。

「むう……」

唸《うな》った市口が、脇構えから刀を青眼《せいがん》につけた。

一歩、二歩と、平蔵がせまる。

「むぅん……」

またしても市口が唸り声をあげる。

その市口の満面へ、たちまちに汗がふき出してきた。

六

お峰は、青い蚊帳《かや》の中で、先刻から冷や酒を茶わんで呷《あお》りつづけていたが、酔いがま

わってきて眠りこけてしまった。

それから、どれほど眠ったろう……。

「おい。おい、起きろ。起きぬか、お峰」

強く、ゆり起されて眼を開けたお峰が、

「あっ、畜生。よくも、もどってきやがったな」

横川甚助へ、むしゃぶりついた。

いつの間にか、蚊帳が外されてい、甚助のほかに、二人の男が立っている。

一は、長谷川平蔵。

一は、市口又十郎であった。

「落ちつけ、お峰」

と、甚助が突き放しておいて、

「これなるは火付盗賊改方・長谷川平蔵様だ。しずかにしろ」

「火つけがどうした。そんなこと、知るものか」

「これ、おい」

と、市口が前へ出て、

「おれだよ、お峰」

「あっ……」

一度に、お峰は目がさめきったらしい。

「お峰。おれが……この市口又十郎が、お前の母親を殺したと。おい、ほんとうか」

「う……」

咄嗟に、いい返す言葉を失ったお峰へ、

「ひどいことをいうものだな、女という生きものは……」

市口は、さらに前へ出て、お峰と鼻をつき合わせるように屈み込み、

「おれは、浅草の不二楼《ふじろう》で座敷女中をしていたお前と知り合い、一緒に暮したことはあるが、それも一年ほどで、あまりに好き者のお前の、夜昼の見さかいもない相手をつとめるのが、つくづく面倒になって逃げ出しただけのことではないか。所詮、剣術と色事とは一つにならん。それを何だ。おれがお前の母の敵だとはどういうことなのだ。実に、怪《け》しからんではないか」

いうや、いきなり市口又十郎が、お峰の顔を殴りつけた。

すると、どうだ。

殴った相手が横川甚助ならば、負けずに飛びかかってゆくお峰なのだが、

「ああっ……」

大形《おおぎょう》に悲鳴をあげ、倒れ伏して泣き出した。

「女という生きものは、何でもひいひい泣けばすむとおもっとる」

立ちあがった市口が、甚助にいった。

甚助は、憮然《ぶぜん》となり、声も出なかった。

平蔵へ向き直った市口が、一礼して、

「長谷川様。先ず、ごらんのとおりであります」

「うむ」

「おうたがいは、解けましたろうか？」

「それは先刻、おぬしの顔を見たときに解けている」

「それなら、そうと……」

「いや、ゆるせ。ついでのことに、おぬしの腕前を見たかったのじゃ」

「おかげで、一太刀も交えぬまま、もう、これにて死ぬるかとおもいました」

「うふ、ふふ……」

このとき、横川甚助が、さめざめと泣きつづけているお峰の腰のあたりを蹴りつけ、

「この女め、嘘をつくにも程というものがある。市口さんに捨てられた腹癒《はらい》せから、おれに人殺しをさせるつもりだったのか」

怒鳴るや否や、お峰が屹《きっ》と顔をあげ、

「この泥棒が何をいうのだ」

と、切り返した。

「う……」

目を白黒させた甚助が、出し忘れていたふところの七両余を、もそもそと引き出すのを尻目に長谷川平蔵は、

「後は三人で、いいようにせよ」

いい捨てて、外へ出て行った。

もはや、夜半をすぎている。

役宅へ帰るのをあきらめ、平蔵は西照寺へ行き、泊めてもらうことにした。

泊るといっても、空が白みかかるまでに、二刻（四時間）ほどしかなかったろう。

あたりに薄明がただよいはじめると、

「おもわぬ面倒をかけましたな。和尚殿へ、よろしゅうおつたえ下され」

寺僧へ挨拶《あいさつ》をし、平蔵は馬に跨《また》がった。

役宅へもどると、果して大さわぎになっていた。

何か異変があったにちがいないが、長官から何の連絡《つなぎ》もなかったので、念のため、夜更《ふ》けてから同心二名が二本榎の細井屋敷へ駈けつけてみると、

「昼すぎに、お帰りになった……」

と、いう。

それから、さわぎになり、こころあたりへ、同心や密偵たちが走って行った。

平蔵が彦右衛門を訪問するときは、たまさかに一泊することもあったので、それまでは、さして心配をしていなかったらしい。

「いや、うっかりして、相すまなかった」

平蔵は、出迎えに走り出て来た与力・佐嶋忠介へ、

「ちょと、いたずらをしすぎてのう」

「何ぞ、ございましたか？」

「ま、ともあれ、熱い湯を浴びてからじゃ。後で来てくれ」

「はっ」

妻の久栄が、

「昨夜は、まんじりともいたしませぬ」

と、にらむのへ、

「いつまでもそんなことでは、わしの女房はつとまらぬぞ」

平蔵は笑いながら、湯殿へ向った。

一浴して、長谷川平蔵が居間へ入って行くと、次の間に、佐嶋忠介が控えている。

「ま、これへ」

「は……」

「女房どの。酒をたのむ」

久栄は返事をせず、廊下へ去った。

「まだ、怒っているらしい」

「昨夜は、御心痛の御様子にて……」

「ま、よいわ。実はな……」

「はい？」

「こういうわけじゃ」

と、平蔵が昨日の一件を語ると、佐嶋は呆《あき》れ顔で、

「で、その後のことは、いかが相なりましたので？」

「知らぬわ。三人で決めることよ」

「それにいたしましても……」

「何じゃ？」

「いえ、その女が母の敵などと嘘をつきましても、横川甚助が市口……」

「又十郎」

「はい。市口又十郎を討たんとして問いかけますれば、すぐに嘘とわかってしまうではございませぬか」

「現に、昨夜がそうであった。なれど、わしがおらなんだときは、つまるところ斬り合いとなり、どちらかが……というよりは、おそらく甚助があの世へ旅立ったにちがいない。いやはや、女の嘘はおそろしいのう」

「そこまで、女は考えていなかったのでございましょうか？」

「そのとおり」

「わかりませぬなあ」

「女とは、そうしたものなのだ。嘘をついているうちに、その嘘が真《まこと》のものになってしまい、前後の見さかいも何もなくなり、無我夢中となる」

「ははあ……」

実直な佐嶋与力の顔へ微笑をあたえつつ、平蔵が、

「おのれの嘘が、すぐに露顕《ろけん》をするか、せぬか……それがわかるような女は、先ず千人に一人というところであろう」

「千人に一人……」

「この世の中は、嘘つき女であふれ返っているのじゃ。あは、はは……」

「それにいたしましても……」

「またか……」

「たかが、男に捨てられたと申して、その男を殺害するなどとは……」

「それはな、佐嶋。お峰が、これまでに抱いたり抱かれたりした男の中で、あの市口又十郎は何とも忘れきれぬほどの男だったのであろうよ」

「ははあ……？」

「おぬしも市口を見れば、わかるやも知れぬ。あの躰、あの顔、あの気性《きしょう》……お峰のような女にとっては、たまらぬ男よ。なればこそ、可愛さあまって憎さ百倍というやつ。もしも甚助が市口を斬ったとなれば、今度はお峰が、市口の敵とばかり、甚助へ毒を盛るやも知れぬ」

またも笑い出した平蔵へ、佐嶋が、

「その女、打ち捨てておいてよろしいのでございますか？」

「かまわぬさ」

平蔵が事もなげにいったとき、二人の侍女が酒の仕度をしてあらわれた。

「女房どの。まだ怒ってござる」

「なれど、くれぐれも、お気をつけあそばしませぬと……」

「わしも年齢《とし》ゆえ、な」

数日後の朝。

長谷川平蔵は前日のうちに、使いの者を井上立泉邸へさしむけ、いつもの見舞いの薬をととのえさせておき、これを持って、ふたたび細井彦右衛門を訪れることにした。

この前と同じように羽織・袴をつけ、単騎、二本榎へ向った。

例によって三田から聖坂をのぼり、伊皿子の細川越中守屋敷の塀外へさしかかったとき、

（甚助め。あれから、どうしたろう？）

ふと、おもいついて馬首をめぐらし、樹木谷から西照寺の塀外まで来て、崖下の彼方の、沼のほとりの家を見やった平蔵が、

「ほう……」

塗笠をあげて、ながめ入った。

沼のほとりで、まぎれもない横川甚助が釣り糸をたれているではないか。

まだ、昼前だが、日ざしは強い。

木蔭に、法師蟬が鳴きこめている。

と……。

家の中から、お峰があらわれた。手に菅笠を持っている。

（ふうむ。また、二人して共暮しをはじめたか……）

お峰は、釣りをしている甚助の日避《ひよ》けに笠を持って来たのだ。

甚助の背中へ、ぴったりと身を寄せ、お峰が後ろから甚助の頭へ笠をかぶせてやった。

振り向いて、甚助が笑い、何かいったが声はきこえぬ。

お峰も笑って、この暑いのに甚助の肩へ顔をのせ、しきりに、何やらたのしげにささやきはじめた。

（いい気なものよ）

馬を二本榎の方へ歩ませつつ、長谷川平蔵の苦笑は、いつまでも消えなかった。

寺尾《てらお》の治兵衛《じへえ》

一

「もし……もし……」

低い声で呼びかけながら、傍へ寄って来た五十がらみの男が、

「しばらくでございますねえ、大滝《おおたき》のお頭《かしら》」

と、笑いかけてきた。

「おお……」

大滝の五郎蔵も、にっこりと笑いかえして、

「寺尾《てらお》の治兵衛《じへえ》さんじゃあないか。こいつは、めずらしい」

いいながらも、

（しめた）

と、おもった。

この日の五郎蔵は、髷《まげ》もきれいにゆいあげ、羽織をつけ、白足袋をはいていた。

四十をこえても五郎蔵の顔だちはきりっとしているし、どことなく品もあり、以前は何人もの手下を束ねていただけの貫禄《かんろく》もある。

だから、しかるべき商舗の主人《あるじ》に見えぬこともない。

月のうちの何度か、五郎蔵は、こうした姿で江戸の町々を歩む。

このときは、笠で顔を隠したりはせぬ。

たとえば、南八丁堀で煮売り酒屋をいとなみながら、五郎蔵のみへ何かと情報をながしてくれる元・盗賊の桑原《くわはら》の喜十《きじゆう》を訪ねるときは笠に顔を隠し、物売りに変装したりしているわけだが、それは喜十に迷惑がかからぬためだ。

そして……。

今日のように、わざと自分《おのれ》の顔を人の目にさらしているのは、いま五郎蔵が火付盗賊改方の密偵をつとめているとも知らず、旧知の盗賊などが声をかけてくるのを待ちかまえているからであった。

もとより、危険は覚悟の前だ。

盗賊どもの中には、

「大滝の五郎蔵め、盗賊改メの密偵《いぬ》になりゃァがった」

知っている者が、いないとはかぎらぬ。

いま、五郎蔵へ声をかけてよこしたのは、盗賊ではない。

口合人《くちあいにん》の寺尾の治兵衛だ。

もっとも、口合人の過去には、ほとんど〔盗み〕が絡《から》んでいる。

それでなくては、一人ばたらきの盗賊を諸方の〔お頭《かしら》〕へ周旋《しゅうせん》し、周旋料をもらうという口合人がつとまるものではない。

五郎蔵が（しめた）とおもったのは、あの〔高萩の捨五郎〕の事件で引っ捕えた兇賊《きょうぞく》・籠滝の太次郎が拷問《ごうもん》にかけられ、盗みの罪状を自白したとき、寺尾の治兵衛の名が出たからである。

すなわち、籠滝一味の押し込みに、高萩の捨五郎を周旋したのが、口合人の寺尾の治兵衛であった。

「ちかごろは、とんと大滝のお頭の消息が絶えてしまったので、実は案じておりましたよ」

「いや、私も、お前さんの、以前の家を訪ねたことがあるのだよ」

「えっ……さようでござんしたか」

それは事実だ。

長谷川平蔵に心服し、その下で隠密《おんみつ》のはたらきをするようになってから、五郎蔵は、深川にあった治兵衛の家を訪ねたことがある。

治兵衛に見張りをつけておけば、つぎからつぎへと盗賊どもを捕えることができると考えたからだ。

「いえ、お頭。深川の家は疾《とう》に引きはらってしまいましたので」

「そうかい、道理で……」

「ま、そのあたりで、お盃をいただきたいものでございますね」

「そうだね。そうしよう」

ここは浅草観世音《かんぜおん》（金竜山・浅草寺《せんそうじ》）の境内で、大滝の五郎蔵は参詣をすませ、仁王門を通り抜けようとしたとき、治兵衛に声をかけられた。

「ま、こうおいで」

「へい、へい」

気が狂いそうになるほどの、今年の残暑のきびしさが昨夜の夢かとおもわれるほどに、今日は空が高く晴れあがってい、微風《びふうひ》が冷んやりとながれている。

そのためか、昼下りの境内は参詣の人びとが群れていた。

大滝の五郎蔵は、境内の外れにある亀玉庵《きぎょくあん》という蕎麦《そば》やへ治兵衛を案内した。

この店は、なかなかしゃれていて、酒の肴もうまいし、浅草田圃《たんぼ》をのぞむ小ぎれいな奥座敷もある。

五郎蔵は、女中に酒肴《しゅこう》をたのみ、

「治兵衛さんは、いま、何処《どこ》にいなさる？」

「へえ、上野の南大門町の、伊勢屋という宿屋におりますんで」

「泊っていなさるのか、それとも……？」

「三月《みつき》ほど前に、大坂からもどって来たのでございますよ」

「なあんだ。では、ずっと上方にいなすったかえ」

「江戸とちがって上方は、万事、のんびりとしていますねえ」

「ふむ……」

「それよりも……」

と、寺尾の治兵衛が何やらいいさしたとき、女中が酒肴を運んで入って来た。

浅草田圃に、白鷺《しらさぎ》が舞い下りている。

女中が出て行くのを見すましてから、治兵衛が、膝を躙《にじ》り寄せてきて、

「お頭」

「え……？」

「このところ、お盗《つと》めは？」

「それが治兵衛さん、さっぱりなのだ」

「え……そりゃ、また、どうしたわけなので？」

「私も年をとったのだろうかね。何やら、面倒くさくなってしまってねえ。二年ほど前に、みんなへ金をわたし、好きなように散ってもらい、それからは、こうしてぶらぶらと日を送っているのさ」

「で、いま、何処においでなので？」

「本所の、弥勒寺《みろくじ》の門前にある茶店の厄介《やっかい》になっている」

「茶店の……？」

「婆さんがひとりきりで、まことに気楽なのだ。ところで治兵衛さん。この婆さん、いまは、お盗めに関わり合いのない人だからね、念のため」

「さようでございますか。へえ、よくわかりましてございます」

「だが、むかしは私の下で引き込みをつとめたこともある。だから気がねはいらないのだよ」

弥勒寺門前で茶店をやっている、お熊《くま》婆は、いまも健在である。

こうしたとき、大滝の五郎蔵は、お熊の茶店か、同じ本所の軍鶏《しやも》鍋屋〔五鉄〕に住み暮していることにしておく。

お熊婆も、五鉄の亭主の三次郎も、盗賊改方に何度となく協力をしているし、すべてをわきまえていてくれるからだ。

「ねえ、大滝のお頭……」

五郎蔵の盃へ酌をしてから、寺尾の治兵衛が、

「大きなお盗めが一つ、あるのでございますがね。手を貸していただけますまいか？」

と、ささやいてきた。

「ふむ。その盗めは江戸かね？」

「さようで」

「何となく気がすすまねえな、江戸では……」

「え……そりゃあ、どうしたわけで？」

ここで、おもいきって、五郎蔵が、

「この夏に、籠滝の太次郎が千住の先で盗賊改メに捕まってな。何しろ、江戸には鬼の平蔵という恐者《こわもの》がいるので、手を出したくねえのだ」

「な、何でございますって。籠滝のお頭が御縄にかかった……」

「そうとも」

「ふうむ……これは、どうも、とんだことに……」

「何か、関わり合いがあったのか？」

「へえ……太次郎お頭にたのまれて、ひとり、上方からさしむけたのでございますがね」

「ほう……」

「御存知かとおもいますが、高萩の捨五郎という腕のいい盗《つと》め人《にん》なので……」

「名前だけは耳にしているよ」

「捨五郎も捕まったので？」

「そこまでは知らねえ」

捕えられた高萩の捨五郎が、盗賊改方の役宅で、まだ、重傷の身を横たえていること

を寺尾の治兵衛は知らぬ。

その捨五郎の口から、口合人の自分の名が洩れたことも知らぬ。

「で、今度の江戸での盗めというのは？」

問いかける大滝の五郎蔵へ、

「籠滝の太次郎お頭が御縄にかかるなんて、こいつは……」

と、息を呑《の》み、やや蒼ざめた寺尾の治兵衛が、

「こいつは、なるほど、江戸の盗賊改メには油断がならねえ」

われとわが身へ、言いきかせるがごとくにつぶやいた。

「治兵衛さん、恐くなったかえ？」

「ですが、お頭。今度のお盗めだけは何としても……」

「お前さん、深入りしているようだね？」

「そのとおりでございます。これを最後に、私は足を洗うつもりでおります」

「口合人のお前さんが、そこまで深入りをしているからには、これは大仕事にちがいない」

「そ、そうなんでございます。これには、いろいろと事情《わけ》がございましてね」

「よし」

ぽんと灰吹《はいふき》へ煙管《きせる》を落《す》した大滝の五郎蔵が、

「久しぶりに、助けてやろうかね」

「ほ、ほんとうでございますか?」

「そのかわり、何も彼も、包み隠さずに打ち明けてくれねえとやりにくい。わかっているだろうね」

「わかっておりますとも。ほかならねえ大滝のお頭に出会えたのも観音さまのお引き合わせでございます。お頭が助けて下さるのなら百人力だ」

たちまちに、寺尾の治兵衛の顔へ血色《けっしょく》がよみがえってきたようだ。

二

「さようか。おもいもかけぬ獲物《えもの》が引っかかったのう」

その日、夜に入ってから清水門外の盗賊改方・役宅へあらわれた大滝の五郎蔵が告げるのを聞いて、長官・長谷川平蔵は満足そうにうなずき、

「お熊の茶店へは、念を入れておいたろうな?」

「はい。抜かりはございません」

「それでよし。ま、わしの相手をしてくれ。ゆっくりと、はなしを聞こう」

と、平蔵が盃を五郎蔵へあたえ、みずから酌をしてやりながら、

「たれか、おらぬか」

声をかけた。

侍女が、居間へあらわれると、

「佐嶋忠介を、これへ」

「はい」

「それに、佐嶋と五郎蔵の膳部《ぜんぶ》の仕度をいたせ」

「かしこまりましてございます」

「あ、待て。奥の様子は、いかがじゃ？」

「よう、おやすみでございます」

「む。よし」

五郎蔵が、おどろいて、

「あの、奥方様に何ぞ……？」

「風邪をひいたらしい。いま、風邪のほうで逃げ出しかけているところよ」

「御冗談を……」

「しぶとい女の躰に取りついたところで、風邪の神め、どうしようもないわ」

佐嶋忠介があらわれ、新たに膳部が来て、大滝の五郎蔵は恐れ入りながら酒肴を口へ運んだ。

口合人の寺尾の治兵衛が、五郎蔵を信頼しきっている様子が平蔵にもよくわかった。

治兵衛が五郎蔵へもちかけた盗めのはなしというのは、彼自身の、

「盗めなのでございますよ」

と、打ちあけたそうな。

治兵衛は、むかし、いまは亡き大盗・簑火《みのひ》の喜之助の許ではたらいていた盗賊だが、喜之助が一味を解散させる以前に、

「お頭のおゆるしを得た上で……」

口合人となった。これは大滝の五郎蔵も、すでにわきまえていたことだ。

〔老盗の夢〕の一篇でのべたごとく、簑火の喜之助は三カ条の盗めの掟《おきて》をまもりぬき、生涯に、ただの一度も血を見たことはない。

その喜之助に仕込まれただけに、

(寺尾の治兵衛が、さしむけてよこす者ならば、たとえ、ながれ盗《づと》めの者でも安心だ)

と、むかしの大滝の五郎蔵は信頼をかけ、治兵衛には何度か、助《すけ》の盗賊の周旋をたのんだものである。

その治兵衛が、今度は、生まれてはじめての盗めの采配を振るのだという。

長年にわたって口合人をしていただけに、選《え》りすぐった盗賊をあつめようとしているのだが、近年は盗めの三カ条なぞ、

「ばかばかしいことだ」

という者が多くなり、盗めの〔芸〕も何もあったものではなく、押し込み先での殺傷、強姦は当然というわけで、なればこそ長谷川平蔵は、いつまでたっても盗賊改方を解任されぬ。

寺尾の治兵衛は、何故、われから盗めの采配を振る決意をかためたのか……。

一には、生涯に一度だけでよいから、

「亡き簑火のお頭ゆずりの……」

本格の盗めを、おのれの手でしてのけてみたいという情熱であったろう。

また一には、今度かぎりで盗めの世界から身を退《ひ》くために、まとまった金が欲しいということ。

さらに、いま一つ、治兵衛は、ひとりむすめのお静の縁談がきまったので、その嫁入り仕度を、じゅうぶんにととのえてやりたいということ。

「念願は、この三つだそうでございます」

と、五郎蔵がいった。

「その、ひとりむすめというのは？」

「治兵衛は、駿河の島田宿《じゅく》で、女房に小間物屋をやらせているそうでございます。むすめのお静は、そこで母親と暮しておりまして、治兵衛は旅商《たびあきな》いをしていることに……」

「では、年に二、三度、島田宿の我家へ帰るというわけか？」

「そのとおりでございます」

と、佐嶋与力。

「女房も、むすめも、治兵衛の正体を知らぬと申すのじゃな」

と、長谷川平蔵。

「さようで……」

「なるほど。して、押し込み先は？」

「芝の片門前《かたもんぜん》二丁目の蠟燭《ろうそく》問屋・橘屋《たちばなや》新兵衛《しんべえ》だそうで」

「ふむ。これは大きい」

橘屋は五代つづいた老舗で、徳川御三家の一つ、尾張家をはじめ、佐竹、酒井などの大名家の御用をつとめ、江戸でもそれと知られた富商《ふしょう》といってよい。

奉公人も、合わせて四十をこえるそうな。

これだけの大店《おおだな》へ押し込み、血をながすことなく、大金を盗み出すからには、それ相応の人数を必要とする。

寺尾の治兵衛は、

（これぞ……）

と、見きわめをつけた盗賊を十名ほどあつめたところで、大滝の五郎蔵に出会ったのだ。

（大滝のお頭が助けてくれるならば、百人力だ）

と、治兵衛はおもったにちがいない。

「で、橘屋には、すでに引き込みを入れてあるのか？」

「くわしいことは、まだ聞いておりませぬが、半年ほど前から入っているそうでございます」

「さすがにのう」

五郎蔵は治兵衛に、

「それでは、私がいいとおもった者なら、いっしょに盗めをさせていいね？」

と、念を入れた。

すると治兵衛は、

「願ってもないことでございます」

「そのかわり、采配を振るのはお前さんだ。私も、よけいなまねはしない。何なりと、いいつけておくれ」

「はい。僭越《せんえつ》ながら、そうさせていただきます」

きっぱりと、治兵衛はいいきった。

治兵衛も、このところ、盗めの世界で流行の〔畜生ばたらき〕には、うんざりとしていたらしい。

さりとて、たのまれれば種々の義理もあって、

「ことわりきれぬ……」

場合もある。

現に、籠滝の太次郎へ、いやいやながら高萩の捨五郎を二度にわたってさしむけたのも、それであった。

その籠滝一味が捕えられたと聞いて、治兵衛が心をいためたのは、太次郎よりも捨五郎の身をおもえばこそである。

「もしやすると、籠滝一味が口を割り、お前さんの名を盗賊改メが知ってしまったのではないか。それでも、今度の盗めをやんなさるかえ？」

と、五郎蔵が尋《き》いてみると、治兵衛は、こういった。

「大滝のお頭。口合人の私と、盗めの采配を振る私とは、別の生きものでございますよ」

長谷川平蔵は、五郎蔵からこれを聞いて、

「肚《はら》を据えているのう」

「はい」

「よし。今度は先ず、わしが出てみよう」

「出ると、おっしゃいますのは？」

「五郎蔵の手下になって、治兵衛へ引き合わせてもらおうというのじゃ」

佐嶋忠介と五郎蔵が、顔を見合わせた。

それを見やって平蔵が、

「わしでは、こころもとないか？」

「いえ、もし、お出まし下さるなら、千人力でございます」

「五郎蔵。お頭のお前と、かための盃をかわそうではないか」

「と、とんでもないことで……」

「うふ、ふふ……」

奥庭に、虫が鳴きしきっている。

酒が冷えてしまっていた。

三

その翌々日の夜。

浪人姿の長谷川平蔵は昼すぎに役宅を出て、本所の弥勒寺《みろくじ》門前にある茶店の〔笹や〕へおもむいた。

大滝の五郎蔵は昨日のうちに、笹やへ身を移している。

「いい男が二人も来てくれて、私ゃ、どんな顔をしたらいいのだろうねえ」

と、お熊婆は塩辛声《しおからごえ》を振りしぼった。

七十を、どれほど越えたか、魚の骨のような躰つきなのだが、まったく寝込まず、

「こうなると、もう、死ぬ気はしねえものだよ」

と、近ごろ、立ち寄った相模の彦十へいったそうな。

「婆さん。五郎蔵から聞いたろうが、あまり浮かれては困る。わかっていような?」

「見損なっちゃぁいけねえよ」

と、お熊の口調は、平蔵が、このあたりで「本所の銕《てつ》」などとよばれ、無頼の日々を送っていたころのつきあいから少しも変らぬ。

その夜。

寺尾の治兵衛が〔笹や〕へあらわれると、さすがに、お熊は心得たもので、

「大滝のお頭《かしら》。客人が見えなすったよ」

と、奥へ声をかけ、

「さ、ずっと、お通り下さいまし」

いかにも、五郎蔵と関わり合いのある感じを出した。

治兵衛は、五郎蔵から平蔵を引き合わされて、目をみはった。

これまでに数えきれぬ盗賊たちとつき合ってきた治兵衛だが、

(これは、ただものではない)

と、平蔵を看たようである。

「おれの名は、木村小平次」

平蔵は、そう名乗った。

同心の木村忠吾と沢田小平次の姓と名を、まぜ合わせたのだ。

「さようでございますか。てまえが寺尾の治兵衛でございます」

「よろしくたのむ。おれは大滝のお頭に長らく世話になっていてな。今度の大仕事については、しかとうけたまわった。どのようにも使ってくれ」

「おそれ入りましてございます」

治兵衛は、満面に喜色をあらわし、五郎蔵へ、

「実は、押し込み先の橘屋には、腕の立つ用心棒がいましてね」

「ほう……」

「引き込みに入れてある女から聞いたのでございますが……」

「おう、おう、治兵衛さん。その、ございますはやめてくれ。今日からは、お前さんが盗めの頭なのだからね」

「いえ、言葉づかいが急にあらたまるものではございませんよ、五郎蔵さん。ま、好きにさせて下さい」

近年は、兇悪の盗賊どもが跋扈《ばっこ》するものだから、腕の立つ剣客や浪人が商家に雇われ、住みついて危難に備えるようになった。

〔用心棒〕の一篇に登場した高木軍兵衛《たかぎぐんべえ》もその一人で、いま尚、深川の味噌問屋・佐野倉勘兵衛方の用心棒をつとめている。

橘屋の用心棒も一人きりだが、相当の剣客らしい。

「実は、そいつを、どうしようかと考えあぐねていたのでございますよ。ですが、五郎蔵さん。このお人なら大丈夫だ。これで肩の荷が一つ、下りましてございます」

と、語尾を平蔵へかけ、寺尾の治兵衛が軽く頭を下げた。さすがに、治兵衛は平蔵の手練《しゅれん》を看破《かんぱ》したわけだが、その正体にはまったく気づかない。

それというのも若き日の長谷川平蔵が、諸方の無頼どもにまじり合ってすごしたことが、

「物をいっている……」

からであろう。

こうなると平蔵は、言葉づかいまでが板についてきて、

「おい、大滝のお頭。何となく口がさびしい。婆に酒をたのんでもいいか？」

「ああ、いいとも」

と、五郎蔵が顎をしゃくった。

お熊が酒を運んで来て、また、店の方へ去った後に、平蔵が、

「ところで、その橘屋の用心棒の面《つら》を見ておきたいものだな、治兵衛さん」

「ようございますとも。日中は神明《しんめい》さまの境内で、ぶらぶらしております。さっそく、お目にかけましょう」

「強そうに見えるかえ？」

「いいえ、見かけは、たいしたこともございませんが……」

「ふうむ……」

「とても、木村さんには敵《かな》いますまい」

「よく、わかるな。おれだって鬼神でも魔物でもねえよ」

「いいえ、わかります。私にはわかります」

寺尾の治兵衛は、いたく平蔵を見込んでしまったようだ。

平蔵と五郎蔵は、顔を見合わせ、苦笑を浮かべた。

「それで治兵衛さん。押し込みは、いつになるね？」

「もう少し、人をあつめた上で……」

いいさした治兵衛が、ふところから半紙を縦折《たてお》りにして綴《と》じ合わせたものを出し、

「ま、見てやって下さいまし」

と、大滝の五郎蔵の前へ置いた。

それには、ずらりと、治兵衛が知っている盗賊の名が書きつらねてあるではないか。

おもわず五郎蔵は、生唾《なまつば》をのみこみそうになるのを懸命に堪《こら》えた。

いまの五郎蔵は、盗賊改方の密偵である。

三十八名におよぶ、ながれ盗《づと》めの盗賊たちの名前と連絡《つなぎ》の場所が、そこに記されてあるのを見れば、胸が躍るのも当然であったろう。

長谷川平蔵はと見れば、

「なるほど、大したものだ」

落ちついた声で、というよりは、さして興味をしめさぬようにも見える。

寺尾の治兵衛は、これまでに、三十八名の中から十名を選んだが、

「どうしても、あと十二、三人は、ほしいとおもいます。いかがなもので？」

「そうだね」

と、五郎蔵。

しかし、いざ自分が采配を振る盗めともなれば、あれこれとおもい迷って決めかねるところもあるらしい。

高萩の捨五郎については、

「籠滝の太次郎の盗めを終えた後で、ぜひとも、一肌ぬいでもらうつもりでおりましたのに……」

と、治兵衛は語った。

治兵衛は簑火の喜之助に仕込まれたので、これまでは上方から中国筋にかけての盗めに、盗賊を周旋することが多かった。

江戸にも寝泊りする場所を設けてはいたけれども、知り合いの盗賊も江戸には多くない。

「何も彼も、これからなんでございます。盗人宿も近いうちに決まりそうなので」

「どこだね？」

「品川の外れに決めたいと存じます。やはり、船を使いませんことには……」

「もっともだ」

うなずいた五郎蔵が、

「ときに、治兵衛さん」

「はい？」

「いま、泊っていなさる宿屋から、此処《ここ》へ引き移りなすったらどうだろう。そうすれば、私といっしょに寝起きして、いちいち相談もできるというものだ」

「えっ……そうさせていただいて、かまいませんので？」

「かまうもかまわぬもない。これからは、お前さんの盗めを助《す》けるのだからね」

「こりゃあ、ありがたい。こんなに心強いことはございませんよ」

寺尾の治兵衛は、大よろこびであった。

そして翌日。

治兵衛は南大門町の宿屋から、お熊の茶店へ引き移って来た。

「寺尾の治兵衛という男《の》も、ちょいと、しゃぶってみたくなるような顔をしているねえ」

と、お熊が、歯抜けの口をぱくぱくさせ、五郎蔵にいった。

四

その翌日。

お熊の茶店〔笹や〕へあらわれた長谷川平蔵を、寺尾の治兵衛が案内して、芝の神明宮へおもむいた。

初秋の空は高く澄みわたり、笹やの裏庭では草雲雀《くさひばり》が鳴いている。

大滝の五郎蔵は、

「うってつけの男がいるから、今夜、連れて来よう」

と、いい、何処かへ出かけて行った。

平蔵と治兵衛が芝の神明宮へ着いたとき、四ツ半（午前十一時）をまわっていたろう。

「先ず、腹ごしらえをしておこうではねえか」

と、平蔵がさそい、二人は、神明宮の門前にある小玉屋という蕎麦屋へ入った。

俗に「芝の神明宮」とよばれる飯倉《いいくら》神明宮は、徳川将軍家の菩提所《ぼだいしょ》・増上寺《ぞうじょうじ》の大門の外にあって、門前町の賑《にぎわ》いも、また格別のものがある。

境内もひろく、拝殿・本社を中心にして諸堂宇《しょどうう》がたちならび、これを囲むように葭簀《よしず》張りか小屋掛けの、土弓《どきゅう》・吹矢・見世物小屋・茶店があり、雨や雪が降らぬかぎり、日中の人出は絶えたことがない。

腹ごしらえをすましてて小玉屋を出た二人は、神明宮の拝殿にぬかずいたのち、ぶらぶらと境内をまわりはじめた。

すでに夏の暑熱は去った。

微風《びふう》が、江戸湾の汐の香りを、このあたりまで運んでくる。

「木村さん。いましたよ」

「どこだ？」

「ほれ……向うの茶店の、角の縁台にかけて甘酒を啜《すす》っているのが、橘屋の用心棒でございますよ」

「お、あれか……」

着ながしの、中肉中背の浪人だが、品のよい顔だちで月代《さかやき》も剃《そ》っているし、身なりもさっぱりとしている。

「どれ……」

つぶやいた長谷川平蔵が、その茶店に近い木蔭へ身を寄せ、編笠の間から三十前後の浪人の顔をとくと見て、

「あ……」

おもわず、瞠目した。

さらに、凝《じっ》と見て、

(まさに……)

間ちがいなしと認めた平蔵が、木蔭から治兵衛がいる拝殿の横手へもどって来て、

「あの用心棒の名は?」

「橘屋では、鈴木先生とよんでいるそうでございますよ」

「鈴木、な……」

「何か、あの……?」

「いや、別に何でもないが、見たところ、色白のやさしげな顔だちで、さほどの腕前ともおもえぬが……」

と、いったが、実は平蔵、あの浪人の手練《しゅれん》のほどはよくわきまえていたのである。

「はい、私も、引き込みから知らされまして、この境内で、はじめて、あの用心棒を見たときには、実のところ、なあんだ、こんなやつかと見くびっていたのでございます。ですが木村さん。あの男は一年ほど前に、橘屋の店先で何やら難癖《なんくせ》をつけ、金をゆすろ

うとした三人の浪人者を通りがかりに見かけて、あっという間に叩きのめし、追いはらったと申します」

「ほう……」

「それを見た橘屋の主人《あるじ》が、中へ入れて礼をのべているうちに、こういう人がいてくれれば大安心というわけで、用心棒に雇い入れたのだそうで」

治兵衛が橘屋へ引き込みに入れたのは、お絹という女賊で、五郎蔵と共に夫婦で盗賊改方の密偵をつとめているおまさも見知っているそうな。

引き込みのお絹が治兵衛へ告げたところによれば、用心棒の鈴木は、いたって物静かな人柄で、暇を見ては橘屋の奉公人の手習いを見てやったりしているらしい。

間もなく、長谷川平蔵は治兵衛と別れ、清水門外の役宅へもどって来た。

治兵衛は、笹やへ帰った。

役宅には、かねて打ち合わせたとおり、大滝の五郎蔵が平蔵の帰りを待っていた。

五郎蔵は昨夜、治兵衛に、

「こころおぼえにしたいから……」

と、いい、例の盗賊人名帳をあずかり、役宅へ来て、これを佐嶋忠介へ差し出し、佐嶋はすべてを書き写してしまっている。

「ようございますとも」

と、こだわりもなく、人名帳をわたしてよこした寺尾の治兵衛に、

（これほどまでに、おれをたのみにしているのか……）

大滝の五郎蔵は、胸を打たれた。

役宅の居間へ入った長谷川平蔵は、佐嶋与力と五郎蔵をよび寄せ、

「いや、どうも、おどろいたわ」

先ず、いった。

「いかがなさいました？」

「いやなに、佐嶋。今日は、その、橘屋の用心棒・鈴木某《なにがし》の首実検《くびじっけん》にまいったのだが……」

「はい。五郎蔵より、聞きましてございます」

「その鈴木……実は、佐久間伊織《いおり》と申してな。むかし、わしも知っている男よ」

「さようでございましたか……」

「父は、佐久間主計助《かずえのすけ》と申してな」

「では、あの佐久間様で……」

「おぼえていたか」

「はい」

十年ほど前に、佐久間主計助は御役の上で汚職《おしよく》にまきこまれ、千二百石の家を取り潰《つぶ》されてしまった。その後の消息はわからぬが、間もなく主計助は病死してしまったそうな。

主計助には男二人、女子二人の子があり、佐久間伊織は次男だが、妾腹《しようふく》との説もある。

長谷川平蔵は佐久間家について、これほどのことしか知ってはいないが、伊織とは一度、剣をまじえたことがあった。

といっても、真剣の勝負ではない。

安永五年の春。

ときの老中《ろうじゆう》・田沼主殿頭意次《たぬまとのものかみおきつぐ》の下屋敷に於いて催された試合に出場し、平蔵は伊織と立ち合った。

二人とも勝ち残って、最後の立ち合いとなったわけである。

「そのころのわしは、西の丸の書院番をつとめていて、三十そこそこ。佐久間伊織は、まだ十代であったが、いや、あれは天性、筋がよかったのであろう」

「それほどの手練を……」

「さようさ。そのとき審判をつとめられたは無外流《むがいりゆう》の名人・秋山小兵衛《あきやまこへえ》先生で、佐久間伊織の太刀筋を、無類のものと申されたわ」

このとき、大滝の五郎蔵がむずむずと膝をうごかして、

「そ、それで、試合は、どうなったのでございます?」

「わしと伊織のか?」

「はい」

「危《あやう》いところで、勝たせてもらった」

五郎蔵が、ためていた息を大きく吐き出したのを見て、佐嶋が笑い出した。

「ところで、五郎蔵」

「はい」

「今度の勝負は、さして長くはかかるまい。どうじゃ？」

「寺尾の治兵衛のことでございますか？」

「うむ。加担《かたん》の盗賊の人名とつなぎの場所もわかったからには、どのようにも始末がつこう。そうではないか」

「はい……」

うなずいた大滝の五郎蔵は、そのまま、顔を伏せている。

長谷川平蔵は、五郎蔵を見まもっていたが、やがて愛用の銀煙管を手に取り、

「それにしても、秋山小兵衛先生は当代、まれに見る名人であった」

「いささかも存じませなんだ」

と、佐嶋。

「何をおもわれたか、世に隠れられてしまったので、その名は知る人ぞ知る」

「ははあ……」

「なれど、田沼様にはお目をかけられていたようじゃ。いまも生きておられたなら、ぜひとも一度、お目にかかりたいものだが……」

いいさして平蔵が、しずかに煙草のけむりを吐き出しつつ、また、ちらりと五郎蔵を見やった。

大滝の五郎蔵は、まだ、うなだれたままだ。

五

寺尾の治兵衛が今度の盗めの本拠にする盗人宿は、品川の先の大井村にあった。東海道をへだてて海辺にも近い、その家は街道から外れた雑木林の中にあり、あるじは六十をこえた老爺で、これも、むかしは盗賊であった。

老爺は穴原《あなはら》の与助《よすけ》といい、治兵衛同様、簑火の喜之助の手下だったが、一味解散となって後、引退金《ひきがね》をたっぷりもらったので、小さな家を大井村に造り、

「何もせず、ぜいたくをせず、いい年をして女に迷ったりせずに暮していりゃあ、この金が無くなる前に、この命のほうが先に無くなってしまうだろうよ」

と、与助は治兵衛に洩らしたことがある。

当時は病気がちだった所為《せい》もあったろうが、それからは独りで、ひっそりと暮しつづけてきて、与助の居所《いどころ》を知っているのは寺尾の治兵衛のみであった。

治兵衛は年に一度ほど、与助の身を案じて大井村の家へ顔を見せたので、それが与助には何よりもうれしかった。

今度の治兵衛の、いわば一世一代の盗めのはなしを聞くや、

「いいとも。わしのところを盗人宿にするがいい。此処ならば大丈夫だ」

即座に引き受けてくれた。

そうなれば、小さくとも地下蔵《ちかぐら》を造らねばならぬ。船で盗み金を運んで来て、一時は隠しておかねばならないからだ。その船を手に入れるのは、さして、むずかしくはあるまい。

いま、江戸市中の諸方に散っている十人の盗賊たちは、交替で与助の家へ行き、地下蔵を造ったり、引き込みのお絹と連絡《つなぎ》をつけたりしている。

数日のうちに、お熊の茶店の笹やへ忍んで来る十人の盗賊たちを、つぎつぎに治兵衛は、平蔵と五郎蔵へ引き合わせた。

そのたびに、盗賊改方の同心や密偵たちが彼らを尾行し、その居所をつきとめたのはいうまでもない。

引き込みのお絹は、早くも錠前《じようまえ》の蠟型《ろうがた》を取っており、夏が来るまでには鍵も出来あがる。

いまのところ、治兵衛の金は出る一方であった。

押し込み先の橘屋の絵図面もととのえられてい、夜な夜な、笹やの奥の部屋で、絵図面を前に治兵衛が五郎蔵の意見を聞いたりしている。

五郎蔵が、いちいち、もっともな返事をあたえるものだから、

「なるほどなあ……さすがに大滝の五郎蔵さんだ。恐れ入りましたよ」

治兵衛は、五郎蔵をたよりきっているらしい。

うまく行けば、橘屋の押し込みは、来年の春。遅くとも秋ということになった。

寺尾の治兵衛は、ながれ盗めの盗賊をあつめるため、江戸を発ち、駿河から尾張へ向うことになり、

「先ず、五人はあつめられましょうよ」

と、いった。

「私も、いっしょに行こうか？」

「五郎蔵さん。あなたは此処にいてもらわなくてはどうしようもない。みんなの束ねをして下さいまし」

「よし。では、その間に、私も四、五人はあつめられるだろう」

「そうしておくんなさるか」

「いいとも」

「たのみます。たのみましたよ」

治兵衛は、与助の家に隠しておいた金の中から、金五十両を五郎蔵へあずけた。

五郎蔵は、何だか妙な気持ちである。

治兵衛の相談に乗ってやっていると、五郎蔵は我知らず熱中し、長谷川平蔵のことも、盗賊改方の密偵である我身のことも忘れてしまうことがあった。

むかし、三十人もの手下を使い、盗めの采配を振っていた大滝の五郎蔵だけに、

（この盗めは少しむりだ。血をながしての畜生ばたらきならともかく、掟をまもっての盗めには相手が大きすぎる。先ず、三年は様子を見なくてはならねえところだが……寺尾の治兵衛は、ちょいと焦っているようだ）

そうおもった。

長谷川平蔵も、

「よし。治兵衛が江戸を出たところで、捕えてしまおう」

と、準備に取りかかった。

そして、治兵衛が江戸を発つ日は明日にせまった。

（いよいよ、治兵衛も御縄にかかるのか……）

約半月を、笹やで共に暮している うち、五郎蔵は治兵衛への好感が増すばかりで、

「どうも、閉口してしまったよ」

と、女房おまさへこぼした。

「しっかりして下さいよ。そんなことで気がゆるみ、失敗《しくじり》をしてしまったら、長谷川様へ顔向けがなりませんよ」

「わかっているとも、おまさ。ぬかりはねえ。ねえが、おれの胸の内も、お前ならわかってくれるとおもっただけだ」

「そりゃあねえ……」

その日。

大滝の五郎蔵は治兵衛に、

「こころ当りがあるので出かけてくるが、日暮れまでに帰って来る」

いい置いて〔笹や〕を出た。

盗賊改方の役宅へ、打ち合わせにおもむいたのである。

一方、長谷川平蔵も、

「明日は、治兵衛を召し捕らねばならぬ。ちょいと様子を見て来よう。もしも、五郎蔵と入れちがいになったら、わしが笹やに待っているとつたえよ」

いい置いて、役宅を出た。

明朝、笹やを出た寺尾の治兵衛は、大井村の与助の家へ立ち寄ってから、東海道をのぼる。その夜は、おそらく神奈川か程《ほど》ヶ谷《や》泊りであろう。

そこで、治兵衛を捕え、同時に与助の家や、江戸市中に潜《ひそ》む治兵衛の手下を捕えるということで、盗賊改方は、この日の朝から総動員で準備に取りかかっていた。

見張りも、

「水も洩らさぬ……」

ほどになっている。

さて……。

平蔵と五郎蔵は行きちがいになったわけだが、それとも知らず、長谷川平蔵が本所・二ツ目の軍鶏鍋屋〔五鉄〕へ立ち寄ってから二ツ目橋を南へわたったのは四ツ半（午前

十一時）ごろであったろう。

このとき、寺尾の治兵衛は明日の旅立ちの仕度を手早くすませ、

「お熊さん。ちょいと深川の八幡さまへお詣りをしてきますよ」

と、声をかけた。

お熊は、治兵衛が明日中に捕えられることをまったく知らぬ。

茶店に客はいなかった。

治兵衛は羽織をつけ、白足袋をはいて奥の部屋から出て来た。

長谷川平蔵は二ツ目橋をわたりきって、お熊の茶店へ向いつつある。

異変は、このときに起った。

六

後にわかったことだが、その男は狂人であった。

弥勒寺の裏手の五間堀に面したところに住んでいる百俵三人扶持《ぶち》の御家人《ごけにん》・小坂金三郎がそれで、小坂は当年二十八歳。三年前に亡父の跡をついで間もなく発狂し、妻を絞《こう》殺《さつ》しかけたこともあるという。

こんなことが公儀の耳へ入ったなら、

「一大事だ」

というので、親類たちが、小坂の屋敷内に座敷牢のようなものを設け、これに小坂を

軟禁し、療養をさせていた。

　このところ小坂金三郎は、まことにおだやかになり、言動も神妙となっていたので、屋敷の者もついつい油断をしていたらしい。

　この日、このとき。

「茶がのみたい」

と、小坂がいい出したので、屋敷に詰めていた親類の橋本某がつきそい、小坂の妻が茶菓を座敷牢へ運んだ。

　その瞬間に、小坂が暴《あば》れ出した。

　小坂は橋本の脇差を引きぬきざま、眉間《みけん》へ切りつけ、橋本が怯《ひる》んだ隙《すき》に座敷牢から飛び出し、庭へ駈け下り、押しとどめようとした中間《ちゅうげん》ひとりを刺殺してから表へ走り出た。

　そして、五間堀に沿った道を歩いていた御家人・山本某の背後から襲いかかり、頸部《けいぶ》をはね切り、山本の大刀を奪い、右手に大刀、左手に脇差を振りまわしつつ、弥勒寺前の通りへ出るや、折しも弥勒寺橋をわたって来た女へ切りつけた。

　日中のことで、表通りには人が出ている。

「わあっ、大変だ」

「早く逃げろ、早く……」

「気ちがいだ。気ちがいが刀を振りまわしているぞ」

たちまち、大さわぎとなった。

旅姿の寺尾の治兵衛が〔笹や〕の裏手から表通りへ出たのが、ちょうどこのときだ。

長谷川平蔵は林町一丁目を過ぎたところで、彼方の人びとが右往左往しているので、

（や……？）

何か変事が起ったらしいと看てとり、足を速めた。

そのとき……。

弥勒寺の門前まで、大小の刀を振りまわしながら走って来た小坂が、逃げ遅れた七、八歳の女の子供を見かけ、

「うぬ!!」

いきなり、大刀を振りかぶった。

「あぁっ……」

女の子の母親らしい町家の女房が悲鳴をあげ、両手に顔を被《おお》い、くたくたと倒れて気を失った。

それよりも早く、表通りへ出て来た寺尾の治兵衛が我を忘れ、

「危ねえ」

体当りに小坂を突き飛ばし、女の子を抱きかかえて逃げようとした。

その治兵衛の背中へ、

「待てえ!!」

追いすがった小坂の大刀が叩きつけられた。

狂人のちからと身のこなしは人間ばなれがしている。

背中を斬られ、よろめいた治兵衛が、女の子を向うへ放り投げるようにして振り向き、敢然と小坂へ組みついていった。

見物の人びとは遠巻きにしているのみで、だれ一人、治兵衛を助けようともせぬ。

小坂は大刀の柄頭《つかがしら》で治兵衛の頭を打った。

「あっ……」

のめる治兵衛の顎を膝で蹴りあげ、小坂が、今度は脇差を揮《ふる》った。

治兵衛の絶叫《ぜっきょう》があがり、顔が血に染まった。

「この畜生め!!」

お熊が茶店から飛び出して来て、小坂へ石を投げつけた。

長谷川平蔵が駈けつけて来たのは、このときである。

「何をする」

ぱっとつけ入りざま、平蔵が小坂を突き飛ばした。

「おのれ!!」

すぐに立ち直って、大小の刀を振りまわしつつせまる小坂を橋の袂《たもと》までさそいこみつつ、ぬいだ編笠を平蔵が投げつけた。

同時に腰を沈め、脇差の小柄《こづか》を引き抜き、これをまた小坂へ投げ打った。

小柄は白く光って疾《はし》り、編笠を刀ではらいのけた小坂の左眼へ突き刺さった。

「ぎゃあっ……」

小坂が狂人特有の叫びを発したとき、身を起した長谷川平蔵が躍り込み、小坂の胸下の急所へ拳を突き入れた。

「う……」

治兵衛の返り血をあびた小坂が両刀を手放し、がっくりと両膝をついた。

見物のどよめきがあがる。

その躰を押え、仰向けに倒しておいて、

「これ、しっかりしろ」

と、倒れている治兵衛に走り寄った長谷川平蔵が、

「おい。これ、治兵衛。おれだ。木村だ。しっかりしろ」

耳もとへ口を寄せて叫ぶや、

「あ……」

治兵衛が、微《かす》かに両眼を見ひらいた。

お熊も駈け寄ってきた。

「治兵衛。これ……」

「う……」

治兵衛の口が、微かにうごいた。

「どうした。何だ。もっと、はっきりいえ」

「むう……」

口をきく余力《よりょく》もつき果てた治兵衛が、平蔵の胸もとへ手をかけ、両眼を閉じると、そのまま、ぐったりと顔をもたせかけてきた。

息絶えたのである。

七

引き込みのお絹や穴原の与助をはじめ、寺尾の治兵衛一味の盗賊たちが捕えられたのはいうまでもなく、治兵衛が遺した人名帳にのっていた盗賊たちについても、ただちに手配がおこなわれた。

もっとも、人名帳の盗賊の中で、江戸に住んでいる者は二人にすぎず、これまた、盗賊改方が手配をしたが、二人とも、行方知れずになっていた。

他の盗賊たちについては、たとえば大坂なら大坂町奉行所、浜松ならば領主の井上河内守へ……というふうに通達を送ったわけである。

その成果については、ここに記すまでもあるまい。

大井村の、穴原の与助は、百七十両ほどの大金を寺尾の治兵衛から預かっていた。

これは、橘屋押し込みまでの資金と看てよい。

一世一代の盗めにかけた治兵衛の情熱は、なみなみならぬものといってよいだろう。

その金は、お上《かみ》に没収《ぼっしゅう》されたが、大滝の五郎蔵も治兵衛から金五十両を預かっている。

この五十両を、五郎蔵が長谷川平蔵の前へ差し出すと、

「治兵衛から預かった、と……」

「さようでございます」

「ふむ……」

例によって平蔵は、亡父遺愛の銀煙管から、けむりを吐き出し、

「治兵衛は、あのとき、身を捨てて、女の子供をひとり、助けてやったのう」

「はい」

「盗賊には、めずらしい男よ」

「まったくでございます」

「それもこれも、おのれにも、むすめが一人いたからであろう」

「はい……」

「のう、五郎蔵」

「はい？」

「治兵衛のむすめの、嫁入りも決まっていたそうではないか」

と、長谷川平蔵が、五郎蔵の眼の奥を凝《じっ》とのぞき込むようにした。

（……？）

見返した大滝の五郎蔵が、はっとなった。

奥庭でしきりに鶸《ひわ》が鳴いている。

いつの間にか、秋も終ろうとしていた。

平蔵は、目の前の小判五十両へ視線を移してから、また、五郎蔵を見つめ、わずかにうなずいて見せ、

「手洗いにまいる」

と、立ちあがった。

平蔵が手洗いをすませ、居間へもどって来たとき、金五十両は、ふたたび五郎蔵のふところへ仕舞《しま》い込まれていた。

「これで、ごめんをこうむります」

と、大滝の五郎蔵がいった。

「そうか。帰るか……」

「何ぞ、御用でもございますなら……」

「いや、ない」

五郎蔵を凝視《ぎょうし》した長谷川平蔵の顔に、おだやかな笑いが波紋のようにひろがっていった。

五郎蔵の両眼が、じわりとうるみかけた。

五郎蔵は、あわてて両手をつき、居間から出ようとするのへ、

「あ、待て」

「はい……」

「このたびのはたらきで、さぞ疲れたであろう」

「いえ、あの……」

「半月ほど、ゆるりとやすめ。何処へ出かけてもかまわぬぞ」


その翌々日。

大滝の五郎蔵は、女房のおまさと義父の舟形《ふながた》の宗平《そうへい》に見送られ、本所・相生町《あいおいちょう》の家を発《た》ち、駿河の島田宿へ向った。

五郎蔵の旅姿は、どこまでも堅気のもので、白の手甲《てっこう》・脚絆《きゃはん》、真新しい菅笠を手に、

「それじゃあ、父《とっ》つぁん、おまさ。行って来るぜ」

「ま、ゆっくりと行って来ねえ。長谷川様から半月も休みをいただいたのだからなあ」

と、舟形の宗平。

「長谷川様の、おなさけで、五十両を治兵衛のむすめの嫁入り仕度にわたせるのはいいとして……」

いいさした五郎蔵が沈んだ眼の色で、

「だが、おまさ。治兵衛の女房子に、何といって、治兵衛が死んだことを告げたらいいものか……」

「ほんとうにねえ……」

「ありのままをいいねえ。治兵衛が盗っ人だったことだけは別にしてのう」

「うむ……」

「治兵衛は立派に死んだのだぜ」

「そりゃあ、まあ……」

胸に蟠《わだかま》ったおもいを断ち切るように、五郎蔵は烈しく頸《くび》を振って、

「せめて……せめて、寺尾の治兵衛が御縄にかからなかったことを、なぐさめにするよりほかはねえ」

「お前も苦労だったのう」

「なあに……」

さびしげに笑った大滝の五郎蔵は、菅笠をかぶりながら、朝靄《あさもや》の中へ溶け込んで行った。

初出掲載誌「オール讀物」

おしま金三郎	昭和五十四年	八月号
二度ある事は	昭和五十四年	九月号
顔	昭和五十四年	十月号
怨恨	昭和五十五年	二月号
高萩の捨五郎	昭和五十五年	三月号
助太刀	昭和五十五年	四月号
寺尾の治兵衛	昭和五十五年	五月号

＊本作品の中には、今日からすると差別的表現ないしは差別的表現ととられかねない箇所があります。しかし、それは江戸時代における風習、慣行にもとづく歴史的事実の記述、表現であり、作者に差別を助長する意図がないことは明白です。読者諸賢の御理解をお願いいたします。

文春文庫編集部

文春文庫

鬼《おに》平《へい》犯《はん》科《か》帳《ちよう》（二十）

定価はカバーに
表示してあります

2000年12月10日　新装版第1刷
2008年2月25日　　　　第9刷

著　者　池波《いけなみ》正《しよう》太《た》郎《ろう》

発行者　村上和宏

発行所　株式会社　文藝春秋

東京都千代田区紀尾井町3-23　〒102-8008
TEL　03・3265・1211
文藝春秋ホームページ　http://www.bunshun.co.jp
文春ウェブ文庫　http://www.bunshunplaza.com

落丁、乱丁本は、お手数ですが小社製作部宛お送り下さい。送料小社負担でお取替致します。

印刷・凸版印刷　製本・加藤製本

Printed in Japan
ISBN4-16-714272-4

文春文庫

池波正太郎の本

（　）内は解説者。品切の節はご容赦下さい。

池波正太郎
おれの足音（上下）
大石内蔵助

吉良邸討入りの戦いの合間に、妻の肉づいた下腹を想う内蔵助。剣術はまるで下手、女の尻ばかり追っていた〝昼あんどん〟の青年時代からの人間的側面を描いた長篇。（佐藤隆介）

い－4－7

池波正太郎
剣客群像

夜ごとに〈辻投げ〉をする美しい女武芸者・留伊のいきさつを皮肉にスケッチした「妙音記」のほか、「秘伝」「かわうそ平内」「柔術師弟記」「弓の源八」など七篇を収める。（小島香）

い－4－17

池波正太郎
忍者群像

戦国時代の末期、裏切りや寝返りも常識になっていた乱世の忍者の執念を描く「首」のほか、「鬼火」「やぶれ弥五兵衛」「寝返り寅松」「闇の中の声」など忍者小説七篇の力作群。

い－4－18

池波正太郎
仇討群像

仇討は単なる復讐ではなく武士世界の掟であった。その突発的事件にまきこまれた人間たちののっぴきならない生きざま。討つ者も討たれる者も共にたどるその無残で滑稽な人生を描く。

い－4－20

池波正太郎
その男（全三冊）

主人公、杉虎之助は微禄ながら旗本の嫡男。十三歳で、大川に身を投げ、助けられた時が波瀾の人生の幕開けだった。幕末から明治へ、維新史の断面をみごとに剔る長篇。（佐藤隆介）

い－4－23

池波正太郎
旅路（上下）

夫を殺した近藤虎次郎を〝討つ〟べく、彦根を出奔した三千代。封建の世に、武家社会の掟を犯してまでも夫の仇討に執念を燃やす十九歳の若妻の女の〝さが〟を描く時代長篇。

い－4－28

文春文庫

池波正太郎の本

（　）内は解説者。品切の節はご容赦下さい。

乳房
池波正太郎

〝不作の生大根〟と罵られ、逆上して男を殺した女が辿る数奇な運命と並行して、平蔵の活躍を描く〝鬼平シリーズ〟の番外篇。〝乳房〟が女を強くすると平蔵はいうが、果たして……。

い-4-38

秘密
池波正太郎

はずみで家老の子息を斬殺し、江戸へ出た主人公に討手がせまるが、身を隠す暮らしのうちに人の情けと心意気があった。再び人は斬るまい……。円熟の筆で描く当代最高の時代小説。

い-4-42

蝶の戦記（上下）
池波正太郎

白いなめらかな肌を許しながらも、忍者の道のきびしさに生きてゆく於蝶。川中島から姉川合戦に至る戦国の世を、上杉謙信のために命を賭け、燃え上る恋に身をやく女忍者の大活躍。

い-4-76

火の国の城（上下）
池波正太郎

関ヶ原の戦いに死んだと思われていた忍者、丹波大介は雌伏五年、傷ついた青春の血を再びたぎらせる。家康の魔手から加藤清正を守る大介と女忍び於蝶の大活躍。（佐藤隆介）

い-4-78

忍びの風（全三冊）
池波正太郎

はじめて女体の歓びを教えてくれた於蝶と再会した半四郎。姉川合戦から本能寺の変に至る戦国の世に、相愛の二人の忍者の愛欲と死闘を通して、波瀾の人生の裏おもてを描く長篇。

い-4-80

幕末新選組
池波正太郎

青春を剣術の爽快さに没入させていた永倉新八が新選組隊士となった。女には弱いが、剣をとっては隊長近藤勇以上といわれた新八の痛快無類な生涯を描いた長篇。（佐藤隆介）

い-4-83

文春文庫

池波正太郎の本

（　）内は解説者。品切の節はご容赦下さい。

鬼平犯科帳　七
池波正太郎

「雨乞い庄右衛門」「隠居金七百両」「はさみ撃ち」「掻掘のおけい」「泥鰌の和助始末」「寒月六間堀」「盗賊婚礼」の七篇。いつの時代にも変わらぬ人間の裸の姿をリアルに映し出す。

い-4-58

鬼平犯科帳　八
池波正太郎

巨体と髯面を見込まれ用心棒に雇われた男の窮地を救う「用心棒」のほか、「あきれた奴」「明神の次郎吉」「流星」「白と黒」「あきらめきれずに」を収録して、ますます味わいを深める。

い-4-59

鬼平犯科帳　九
池波正太郎

〝隙間風〟と異名をとる盗賊が、おのれの人相書を届けてきた。平蔵をコケにする「雨引の文五郎」。他に「鯉肝のお里」「泥亀」「本門寺暮雪」「浅草・鳥越橋」「白い粉」「狐雨」を収録。

い-4-60

鬼平犯科帳　十
池波正太郎

密偵として働くことになった雨引の文五郎に裏切られた平蔵の心境は如何。盗賊改方の活躍を描いた「犬神の権三」のほか、「蛙の長助」「追跡」「五月雨坊主」など全七篇を収録。

い-4-61

鬼平犯科帳　十一
池波正太郎

同心木村忠吾が男色の侍に誘拐される「男色一本饂飩」、平蔵が乞食浪人に化ける「土蜘蛛の金五郎」、盗んだ三百両を返しにゆく「穴」など全七篇を収録。　（市川久夫）

い-4-62

鬼平犯科帳　十二
池波正太郎

盗賊となった又兵衛との二十数年ぶりの対決を描く「高杉道場・三羽烏」のほか、「いろおとこ」「見張りの見張り」「密偵たちの宴」「二つの顔」「白蝮」「二人女房」の全七篇を収める。

い-4-63

文春文庫

池波正太郎の本

（　）内は解説者。品切の節はご容赦下さい。

鬼平犯科帳 十三
池波正太郎

盗賊の掟を守りぬいて、〝真〟の盗みをする盗賊が、畜生働きの一味を成敗する「一本眉」のほか、「熱海みやげの宝物」「殺しの波紋」「夜針の音松」「墨つぼの孫八」「春雪」を収録。

い-4-64

鬼平犯科帳 十四
池波正太郎

密偵の伊三次が兇悪犯に瀕死の重傷を負わされる「五月闇」に、「あごひげ三十両」「尻毛の長右衛門」「殿さま栄五郎」「浮世の顔」「さむらい松五郎」の六篇を収録。（常盤新平）

い-4-65

鬼平犯科帳 十五
特別長篇 雲竜剣
池波正太郎

二夜続いて腕利きの同心が殺害された。その手口は、半年前、平蔵を襲った兇刃に似ている。あきらかに火盗改方への挑戦だ。初登場の長篇「雲竜剣」の濃密な緊張感が快い。

い-4-66

鬼平犯科帳 十六
池波正太郎

出合茶屋で女賊の裸をむさぼる同心の狙いは？　妻を寝とられた腹いせに放火を企てた船頭が、闇夜に商家へ忍び入る黒い影を見たとき……。巷にしぶとく生きる悪に挑む鬼平の活躍。

い-4-67

鬼平犯科帳 十七
特別長篇 鬼火
池波正太郎

もと武士らしき男がいとなむ〝権兵衛酒屋〟。その女房が斬られ、亭主は現場から姿を消す。謎を探る鬼平に兇刃が迫る。「むうん……」平蔵の唸り声がした。力作長篇「鬼火」の迫力。

い-4-68

鬼平犯科帳 十八
池波正太郎

大恩ある盗賊の娘が狙われている。密偵の仁三郎は平蔵に内緒で非常手段をとった。しかし、待っていたのは死であった。盗賊上がりの部下を思いやる「一寸の虫」ほか佳篇五作。

い-4-69

文春文庫

池波正太郎の本

（　）内は解説者。品切の節はご容赦下さい。

池波正太郎
鬼平犯科帳 十九

幼児誘拐犯は実の親か？　卑劣な犯罪を前にさすがの平蔵にも苦悩の色が……。ある時は鬼になり、ある時は仏にもなる鬼の平蔵の魅力を余すところなく描いた、著者会心の力作六篇。

い-4-70

池波正太郎
鬼平犯科帳 二十

「か、敵討ちの約束がまもれぬなら、わたした金を返せえ！」女から敵討ちを頼まれて逃げ回る男に、平蔵が助太刀を申し出て意外な事実が判明。「げに女心は奇妙な」と鬼平も苦笑。

い-4-71

池波正太郎
鬼平犯科帳 二十一

同心大島勇五郎の動静に不審を感じた平蔵が、自ら果敢な行動力で兇盗の跳梁を制する「春の淡雪」を始め、部下への思いやりをしみじみと映し出して〝仏の平蔵〟の一面を描く力作群。

い-4-72

池波正太郎
鬼平犯科帳 二十二
特別長篇　迷路

火盗改長官長谷川平蔵が襲われ、与力、下僕が暗殺された。平蔵の長男、娘の嫁ぎ先まで狙われている。敵は何者か？　生涯の怪事件に遭遇し、追いつめられた鬼平の苦悩を描く長篇。

い-4-73

池波正太郎
鬼平犯科帳 二十三
特別長篇　炎の色

夜鴉が無気味に鳴く。千住で二件の放火があった。火付盗賊改方の役宅では、戦慄すべき企みが進行していた。――長谷川平蔵あやうし！　今宵また江戸の町に何かが起きる！

い-4-74

池波正太郎
鬼平犯科帳 二十四
特別長篇　誘拐

風が鳴った。平蔵は愛刀の鯉口を切る。雪か？　闇の中に刃と刃が嚙み合って火花が散った――。「鬼平犯科帳」は本巻をもって幕を閉じる。未完となった「誘拐」他全三篇。（尾崎秀樹）

い-4-75

文春文庫

池波正太郎の本

（　）内は解説者。品切の節はご容赦下さい。

雲ながれゆく
池波正太郎

行きずりの浪人に手ごめにされた商家の若後家・お歌。それは女の運命を大きく狂わせた。ところが、女心のふしぎさで、二人の仲は敵討ちの助太刀にまで発展する。（筒井ガンコ堂）

い-4-84

夜明けの星
池波正太郎

ひもじさから煙管師を斬殺し、闇の世界の仕掛人の道を歩み始める男と、その男に父を殺された娘の生きる道。悪夢のような一瞬が決めた二人の運命をしみじみと描く時代長篇。（重金敦之）

い-4-85

夜明けのブランデー
池波正太郎

週刊文春連載の正太郎絵日記。映画、ルノワールやユトリロら画家たちへの想い、酒と食などにまつわる四十のショート・エッセイと、それを彩る絵筆の妙とを二つながら楽しめる。

い-4-40

ル・パスタン
Le passe-temps
池波正太郎

仮病を使ってでも食べたかった祖母の〈スープ茶漬け〉、力のつく〈大蒜うどん〉、欠かせない観劇、映画、田舎旅行。粋人が百四のささやかな楽しみを絵と文で織りなす。オールカラー収録。

い-4-50

池波正太郎の春夏秋冬
池波正太郎

画文にこめた映画の楽しみ、心許す友と語る小説作法や芸談。往時を懐かしみ、老いにゆれる心をみつめる随筆。ファン必見の年賀状や豊子夫人の談話も収録し、人生の達人の四季を味わう。

い-4-51

鬼平犯科帳の世界
池波正太郎編

著者自身が責任編集して話題を呼んだオール讀物臨時増刊号「鬼平犯科帳の世界」を再編集して文庫化した、決定版〝鬼平事典〟……。これ一冊で鬼平に関するすべてがわかる。

い-4-43

（　）内は解説者。品切の節はご容赦下さい。

池波正太郎・鬼平料理帳
佐藤隆介編
登場人物が旨そうに食べる場面は「鬼平犯科帳」の一つの魅力。シリーズ全巻から〝美味〟の部分を抜き出し、平蔵の食の世界とその料理法を再現。池波正太郎の「江戸の味」を併載。
さ-14-1

鬼平犯科帳の真髄
里中哲彦
「鬼平犯科帳」全篇をつうじて、いちばん幸せな男は誰か？ 鬼平役者の秘話あれこれ等、テレビから映画に到るまで、本格派のファンが気持ちを気ままにつづって笑いを誘う副読本。（梶芽衣子）
さ-37-1

鬼平犯科帳の人生論
里中哲彦
お金の使い方から女にモテるコツ、そして部下とのつきあい方など、人生のイロハのすべてを「鬼平犯科帳」に学んでしまおうという、鬼平マニアならではの大胆な教養書。（真田健一郎）
さ-37-2

鬼平犯科帳人情咄
私と「長谷川平蔵」の30年
高瀬昌弘
松本幸四郎（白鸚）から中村吉右衛門まで。永遠のテレビ時代劇「鬼平犯科帳」を32年間撮影してきた監督がつづる撮影秘話。池波正太郎との交友録から、各主役脇役のエピソードが満載。
た-54-1

「鬼平犯科帳」お愉しみ読本
文藝春秋編
鬼平という人物の魅力、人心掌握術の見事さ、当時の江戸の様子、平蔵の刀や煙管についての蘊蓄等々、様々な人々が多面的に池波正太郎作「鬼平犯科帳」のユニークさ、面白さを追究！
編-2-18

鬼平舌つづみ
文藝春秋編
文春ウェブ文庫ホームページの名物コラム。青柳の小鍋立て、鰹のづけ丼、蛸の塩茹でと蒸し里芋など、「鬼平犯科帳」の〝食〟にヒントを得た料理人万作の新作料理四十八品。レシピ付。
編-2-34

（　）内は解説者。品切の節はご容赦下さい。

宇江佐真理
黒く塗れ
髪結い伊三次捕物余話

お文は身重を隠し、お座敷を続けていた。伊三次は懐に余裕がなく、お文の子が逆子で心配事が増えた。伊三次を巡る人々に幸あれと願わずにいられぬ、人気シリーズ第五弾。（竹添敦子）

う-11-6

宇江佐真理
余寒の雪

女剣士として身を立てることを夢見る知佐は、江戸で何かを見つけることができるのか。武士から町人まで人情を細やかに描く七篇。中山義秀文学賞受賞の傑作時代小説集。（中村彰彦）

う-11-4

内館牧子
転がしお銀

公金横領の濡れ衣で切腹した兄の仇を探すため、東北の高代から江戸へ出て、町人になりすますお銀親子。住み着いた下町のオンボロ長屋に時ならぬ妖怪が現れ、上を下への大騒ぎ……。

う-16-2

乙川優三郎
椿山

城下の子弟が集う私塾で知った身分の不条理、恋と友情の軋み。下級武士の子・才次郎は、ある決意を固める。生きることの切なさを清冽に描く表題作など、珠玉の四篇を収録。（縄田一男）

お-27-1

乙川優三郎
生きる

亡き藩主への忠誠を示す「追腹」を禁じられ、白眼視されながらも生き続ける初老の武士。懊悩の果てに得る人間の強さを格調高く描いた感動の直木賞受賞作他、二篇を収録。（縄田一男）

お-27-2

乙川優三郎
冬の標《しるべ》

維新前夜。封建の世のあらゆるしがらみを乗り越えて、南画の世界に打ち込んだ一人の武家の女性。真の自由を求めて葛藤し成長する姿を描ききった感動の長篇時代小説。（川本三郎）

お-27-3

文春文庫

時代小説

（　）内は解説者。品切の節はご容赦下さい。

恋忘れ草　北原亞以子
女浄瑠璃、手習いの師匠、料理屋の女将など江戸の町を彩るキャリアウーマンたちの心模様を描く直木賞受賞作。「恋風」「男の八分」「後姿」「恋知らず」「萌えいずる時」他一篇。（藤田昌司）
き-16-1

昨日の恋　爽太捕物帖　北原亞以子
鰻屋「十三川」の若旦那爽太には、同心朝田主馬から十手を預かるという別の顔があった。表題作のほか「おろくの恋」「雲間の出来事」「残り火」「終りのない階段」など全七篇。（細谷正充）
き-16-2

埋もれ火　北原亞以子
去っていった男、残された女。維新後も龍馬の妻として生きたお龍。三味線を抱いて高杉晋作の墓守を続けるうの。幕末の世を駆け抜けて行った志士を愛した女たちの胸に燻る恋心の行く末。
き-16-4

二人の武蔵（上下）　五味康祐
剣豪・武蔵がなんと二人存在していた!? 岡本武蔵と平田武蔵。共に剣の道を進み、京で、江戸で複雑に交錯する。果して巌流島で佐々木小次郎を倒すのはどちらの武蔵か。（縄田一男）
こ-9-10

剣法奥儀　剣豪小説傑作選　五味康祐
武芸の各流派には、それぞれ奥儀の太刀がある。美貌の女剣士、僧門の剣客などが激突。太刀合せ知恵比べが展開された各流剣の秘術創始にかかわる戦慄のドラマを流麗に描破。（荒山徹）
こ-9-12

柳生武芸帳（上下）　五味康祐
散逸した三巻からなる「柳生武芸帳」の行方を巡り、柳生但馬守宗矩たちと、長年敵対関係にある陰流・山田浮月斎一派が繰り広げる死闘、激闘。これぞ剣豪小説の醍醐味！（秋山駿）
こ-9-13

文春文庫

時代小説

（　）内は解説者。品切の節はご容赦下さい。

上野介の忠臣蔵
清水義範

隠居の日を楽しみに高家としての激務をこなす上野介は、時々ひとの名前を失念するようになった……。好漢・清水一学の恋もからめながら描く、討たれる側からの忠臣蔵。（縄田一男）

し-27-7

猿飛佐助
柴田錬三郎
柴錬立川文庫（一）
真田十勇士1

猿飛佐助は武田勝頼の落し子だった。戸沢白雲斎に育てられ、忍者として真田幸村の家来となり、日本中を股にかけての大活躍。美女あり豪傑あり、決闘あり淫行ありの大伝奇小説。

し-3-1

真田幸村
柴田錬三郎
柴錬立川文庫（二）
真田十勇士2

家康にとって最も恐い敵は幸村だ。佐助をはじめ霧隠才蔵、三好清海入道たちが奇想天外な働きで徳川方を苦しめる。後藤又兵衛、木村重成も登場して、大坂夏の陣へと波乱は高まる。

し-3-2

徳川三国志
柴田錬三郎

駿河大納言忠長、由比正雪、根来衆をあやつり、三代将軍家光を倒そうとする紀伊大納言頼宣と、伊賀忍者を使って必死に阻止する松平知恵伊豆守。壮麗なる寛永時代活劇。（磯貝勝太郎）

し-3-12

八州廻り桑山十兵衛
佐藤雅美

関八州の悪党者を取り締まる八州廻りの桑山十兵衛は男やもめ。事件を追って奔走するなか、十兵衛が行きついた、亡き妻の意外な密通相手、娘の真の父親とは――。（寺田博）

さ-28-1

殺された道案内
佐藤雅美
八州廻り桑山十兵衛

お役目とはいえ、今日も桑山十兵衛は関八州を駆け巡る。尽きることのない悪党、難事件……。大好評第二弾は、剣豪・千葉周作、初恋の女性が、捕り物の背後で十兵衛の心を掻きみだす。

さ-28-3

文春文庫

時代小説

（　）内は解説者。品切の節はご容赦下さい。

島原大変
白石一郎

大地震・大津波で島原藩七万石の城下町は一夜にして埋没。大自然の驚異を描く「島原大変」と「ひとうま譚」「凡将譚」「海賊たちの城」の全四篇の異色時代小説を収録する。（西木正明）

し-5-4

海狼伝
白石一郎

対馬で育った少年笛太郎が、史上名高い村上水軍の海賊集団に加わり、〝海のウルフ〟として成長していく青春を描きながら、海賊の生態をみごとに活写した直木賞受賞の名作。（尾崎秀樹）

し-5-5

海王伝
白石一郎

黄金丸の船大将・笛太郎は、シャムを本拠地とする実父と宿命的な対決をする。海賊の生態を克明に描いて、海洋時代小説の金字塔となった直木賞受賞作「海狼伝」の続篇。（縄田一男）

し-5-11

長崎ぎやまん波止場
若杉清吉捕物控
白石一郎

オランダ人殺し、奉行所同心の手先の殺害、女無宿人の水死事件など異国情緒あふれる港町で起こった事件の数々に、町人の捕物名人若杉清吉、四十二歳が果敢に挑む捕物帖。（深野治）

し-5-6

海峡の使者
白石一郎

派手好みの対馬藩の殿様は演能の席に、わざわざ朝鮮から氷塊を取り寄せるが、御船方にとっては命がけの航海となる……。直木賞受賞第一作の表題作を含む力作時代小説。（縄田一男）

し-5-10

生きのびる
横浜異人街事件帖
白石一郎

南京人による犯罪が急増する横浜で、応援に乗り込んだ与力・立花源吾の首が奉行所前にさらされた。下手人と目された張竹芳を追って、卯之助と正五郎は上海へと向かった。（杉本章子）

し-5-27

文春文庫

死神の精度　伊坂幸太郎
死神の七日間の調査で対象者の生死が決まる——。傑作短篇集

TVJ　五十嵐貴久
お台場のテレビ局がテロリストに占拠された。『交渉人』著者の原点

孫文の女　西木正明
中国革命の父・孫文が滞日中に愛した二人の日本人女性がいた

午後の磔刑《たっけい》　王国記Ⅵ　花村萬月
五歳になった太郎は様々な〝力〟を発揮、集団内で崇拝を集める

女優　筒井ともみ
二十八年前に突然引退した人気女優で伯母である女性の実像を探る

FOXY　宇佐美　游
銀座のクラブの売れっ子ホステス千華の男を落すテクニックとは？

乳房〈新装版〉　池波正太郎
人気シリーズ「鬼平犯科帳」番外篇。〝乳房〟が女を強くする

薩摩夜叉雛〈新装版〉　津本　陽
北辰一刀流の使い手赤星速水《はやみ》は西郷隆盛の密命を受け、横浜へ走る

光と影〈新装版〉　渡辺淳一
直木賞受賞作ほか、三篇の初期の医学もの小説集

夜ふけのなわとび　林　真理子
ヴィジュアル系女流作家は、仕事にもお洒落にも手を抜かず……

どくろ化粧　鬼悠市　風信帖　高橋義夫
主君の実弟の御首級《みしるし》が墓から盗まれた。藩の隠密・鬼悠市が大活躍

東大で教えた社会人学　草間俊介・畑村洋太郎
東大理科系学生に大人気の社会・経済常識講義が一冊にまとまった

ツチヤの口車　土屋賢二
お腹は減るけど口は減らないツチヤ教授満身創痍の日々。爆笑随筆

シモネッタのデカメロン　イタリア的恋愛のススメ　田丸公美子
通訳歴二十余年の著者が見聞したイタリア人たちの恋愛模様

文学的商品学　斎藤美奈子
青春小説から貧乏小説まで九ジャンル、八十二作品を読み解く

人は仕事で磨かれる　丹羽宇一郎
伊藤忠商事を甦らせた熱き経営トップが、人生と経営の指針を語る

パンの耳の丸かじり　東海林さだお
誰もが避けて通れない「パンの耳問題」ついに勃発！

窓を開けると　池部　良
俳優の著者が綴る身辺雑記のはずが、いつの間にやら小説的世界に